초연결 시대: 영문학과 미래인간 비전

초연결 시대
영문학과 미래인간 비전

이난희 지음

도서출판 동인

책을 펴내며 ___

초연결 시대라 불리는 21세기는 기술과 인간이 '연결'을 넘어 '융합'의 단계로 진입하였고, 과학기술은 시간과 거리의 축소와 생물과 무생물, 현실과 환상의 경계를 소멸시키고 있다. 결과적으로 초연결 사회는 모든 사람과 사물, 공간이 상호연결 되고 거기에 인공지능이 들어가서 인간의 개입 없이 스스로 판단하고 작동하는 보다 지능화된 사회로 변화하고 있다. 그리고 디지털 기술을 통한 인간의 물리적, 인지적, 지각적 능력을 획기적으로 증강하는 상상 속에만 있던 기술들은 나노기술·생명공학·정보통신·인지과학의 발달로 현실화할 것이다. 사실 오늘날 문학작품과 영화 속의 과학자들이 구상했던 많은 기술이 이미 일상화되어 있으며, 또한 미래를 내다보는 많은 기술 중에 인간의 몸과 마음을 증강하려는 기술들은 원래의 비전을 훨씬 넘어 손에 닿을 수 있는 듯하다.

하지만 초연결 시대의 세계는 나노기술·생명공학·정보통신·인지과학과 관련된 많은 연구 결과가 일상생활에 적용될 것이고 이로 인한 변화는 상당한 혼란을 가져올 수도 있다. 따라서 우리는 인간이 과학을 상상하는 방식과 그 도덕적 결과를 구체화한 문학작품과 영화 속 배경의 위험 이슈 및 등장인물의 분석을 통해 '미래인간'을 경험하고 이를 반영하여 과학자들의 도덕과 생명윤리, 그리고 미래사회에 인간과 기술이 가져올 문제점에 대한 해결 방안을 모색할 수 있는 능력 함양과 앞으로 전개될 '미래사회'를 이해하고 대안적인 삶을 실현할 가능성을 모색해야 한다.

이 책은 서문에서 초연결 시대를 트랜스휴먼과 포스트휴먼의 이미지가 공존하는 시대로 상정하고 "초연결-융합형 증강인간"의 이미지를 트랜스휴먼과 포스트휴먼이 혼재된 미래인간으로 규정하였다. 1장은 "초연결"의 의미를 확장하고, 문학에서 알레고리라는 용어적 사용을 살펴본 후 본 글에 주어진 작품의 등장인물들의 알레고리적 재현에 대한 해석방식을 효과적으로 제시했다. 또한 급진적인 산업화와 과학·기술의 발전 속에서 인간과 기계를 비교하면서 인간성 회복을 고민하던 19세기의 사회적 분위기와 인간, 그리고 과학 특히 지질학과 생물학 분야를 검토했다. 그리고 더 나아가 미래인간으로 규정한 초연결-융합형 증강인간의 이론적 틀의 현실적인 주요 부분을 차지하는 트랜스휴머니즘 이론의 탄생과 발전과정을 추적하여 생물학과 기술의 통합에 대한 통찰력을 제공했다.

2장은 20세기와 21세기 문학, 과학, 예술 분야에서 상상력의 진원지인 메리 셸리의 『프랑켄슈타인』의 독창적인 '융합'을 통해 합성생물학, 유전자 편집, 로봇공학, 기계학습, 재생의학의 시대에 과학과 기술이 어떻게 인식되고 있고, 대중이 어떻게 이해하는지 되돌아볼 기회를 제공했다. 그리고 3장은 사무엘 베케트의『게임의 끝』의 등장인물을 통해 동물과 기계, 더 나아가 컴퓨터와 하나가 되려는 미래인간의 비전을 제시하고 '어디까지가 인간인가'라는 질문과 인간의 수명이 연장되었을 경우와 약물 사용이 치료가 아니라 증강을 위해 사용되었을 경우의 문제점을 시사했다.

4장은 스파이크 존즈의 영화〈그녀〉에서 스마트한 초연결 미래사회의 인공적 친밀감을 통해 인간과 기계의 관계가 우리 삶의 모든 측면에 내재하여 있을 때 인간 대 인간의 관계와 인간 대 기계의 관계에 어떤 일이 일어날지 예측해보고, 기술을 형성하는 제도와 문화적 틀에 비판적으로 의문을 제기해야 한다는 사실을 상기시켰다.

초연결 시대에 모든 가치는 사람으로 귀결된다. 이 책의 내용이 21세기에 전개될 초연결 사회와 미래인간을 이해하는 데 약간의 도움이 되었으면 한다. 그리고 "메리 셸리의『프랑켄슈타인』: 인공 생명체와 AI의 학습 연관성"과 "사무엘 베케트의『게임의 끝』: 초연결-융합형 증강인간 비전"은『영어권문화연구소』 12-2호(2019)에 실린 "Mary Shelley's *Frankenstein*: The Link Between Frankenstein's Creation of an Intelligent Being and Machine Learning of Artificial Intelligence"와 11-2호(2018)에 실린 "A Posthuman Vision: Transhuman Characters Between Humans and Posthumans from Samuel Beckett's *Endgame*"을 우리말로 번역하여 내용을 수정 및 확장한 것이다. 두 논문의 수록을 허가해준『영어권문화연구소』와 흔쾌히 출판을 맡아주신 도서출판 동인 이성모 사장님께 감사드린다.

애정 어린 격려와 함께 이 책의 자료수집과 교정에 애써준 사랑하는 동생 준이와 태윤에게 진심으로 고마운 마음을 전한다. 그리고 19세기 영문학 작품과 문화 연구의 동기를 제공해준 "낭만주의 영시를 통한 영어연습"과 "빅토리아시대의 문학과 문화" 교과목을 강의할 기회를 주신 김성중 교수님께 감사의 말씀을 전한다. 특히, 이 책을 쓰기까지 아이디어와 연구에 대해 학문적 영감을 주시고 아이디어를 발전시켜 분명히 말할 수 있도록 지속적인 지지와 격려를 해주신 지도교수 황훈성 교수님께 깊은 감사를 표한다. 마지막으로 2013년 먼 길 떠나신 인생의 멘토, 존경하는 어머님께 이 책을 바친다.

2021년 1월

이난희

싣는 순서 ___

서문

초연결 시대: 물리적 · 디지털 · 생물학적 영역 사이의 경계 소멸과 미래인간

1. 들어가는 글

초연결 시대라 불리는 21세기에 초연결성(Hyperconnectivity)을 기반으로 한 초지능(Superintelligence)과 융합(fusion), 그리고 증강인간(Augmented Humans, AHs)은 미래사회와 미래인간의 비전을 보여주는 강력한 패러다임이다.[1] 21세기 과학기술은 정보통신기술과 생명조작기

---

1 초지능화: AI(Artificial Intelligence)와 빅데이터의 결합과 연계를 통해 기술과 교육, 그리고 산업구조의 지능이 초지능으로 강화되는 현상.
   융합화: 초연결성과 초지능화에 기반하여 기술간, 산업간, 인간–인간, 사물–사물, 그리고 사물–인간 간의 경계가 사라지는 대융합의 시대를 전망해주는 현상.
   증강인간: 과학기술을 이용하여 노화를 제거하고, 약물과 AI 웨어러블 디바이스를 사용하여 정신적 · 육체적 역량이 획기적으로 증강된 인간. (4차 산업혁명의 이해 Web, http://teachingsaem.cmass21.co.kr)
   초연결성의 정의는 1장에서 논한다.

술이 과학기술의 중심으로 자리 잡고, 친밀한 모습으로 인간의 일상생활 속에 더욱 깊숙이 침투하여 인간의 삶을 변화시키고 있다. 급속도로 전개되는 디지털 혁명과 유전자 혁명은 시간과 거리의 축소와 경계의 약화라는 사회·문화적 변화를 초래하고 있다. 이제 이러한 변화 속에서 극복할 수 없다고 여겼던 "공간적·시간적 거리가 점차 사라져가고, 지역이나 국가 간의 경계는 물론 식물과 식물, 동물과 동물, 식물과 동물, 남성과 여성, 청년과 노년, 부모와 자식, 어머니와 아버지 사이의 경계 그리고 더 나아가서 생물과 무생물 사이의 경계, 현실과 환상 사이의 경계마저 소멸"(이필렬 217)되는 "초연결 시대"(Hyper-connected era)가 도래하고 있다.

초연결 시대에는 모든 사람과 사물, 공간이 상호연결 되고 거기에 지능이 들어가서 인간의 개입 없이 스스로 판단하고 작동하는 보다 지능화된 사회로 변화하게 된다. 또한 디지털 기술을 통한 인간의 물리적, 인지적, 지각적 능력을 획기적으로 증강하는 상상 속에만 있던 기술들은 나노기술·생명공학·정보통신·인지과학(Nano·Bio·Information technology, Cognitive science) 즉 "NBIC"(Nano-Bio-Info-Cogno, Luce 35)의 발달로 현실화할 것이다. 사실 오늘날 문학작품과 영화 속의 과학자들이 구상했던 많은 기술이 이미 일상화되어 있으며, 또한 미래를 내다보는 많은 기술 중에 인간의 몸과 마음을 증강하려는 기술들은 원래의 비전을 훨씬 넘어 손에 닿을 수 있는 듯하다.

특히 이 새로운 패러다임은 세계경제포럼 회장 클라우스 슈바프(Klaus Schwab)의 2016년 다보스포럼 기조연설에서 제시되었다. 슈바프는 4차 산업혁명을 물리적, 디지털, 그리고 생물학적 영역 사이의 경계를 흐리게 하는 "기술이 융합된 것"(a fusion of technologies)이 특징이라고 정의를 내리며, 4차 산업혁명이 사람에게 미치는 영향은 "우리가 하는 일뿐만 아니라 우리가 누구인지도 바꿀 것"이라고 예측했다. 하지만 그 모든 것은 "사람과 가치"로 귀결된다고 주장하면서 우리는 사람들을 우선시하고 그들에게 권한을 줌으로써 우리 모두에게 효과가 있는 미래를 형성해야 한다고 말한다.[2] 결국 초연결 시대의 미래인간 비전은 인간이 중심에 있다. 따라서 본 글은 미래인간의 비전을 "초연결-융합형 증강인간"이라는 새로운 개념을 사용하여 제시하고자 한다.

"초연결-융합형 증강인간"이라는 단어의 조합은 기계 장치의 이식이나 유전자 조작, 그리고 약물에 의해 강화된 능력을 소유하고 있는 트랜스휴먼의 개념과 생물학과 기술이 하나의 주제로 통합되어 유기체와 인공물 혹은 기계를 분리하는 경계를 흐리게 하는 캐서린 헤일스(N. Katherine Hayles)의 『우리는 어떻게 포스트 휴먼이 되었는가』(How We Became Posthuman 1999)의 사이보그의 이미지와 도나 해러웨이(Donna Haraway)가 「사이보그 선언」("A Cyborg Manifesto" 1991)에서 설명한, 기계와 유기체의 혼합된 이미지(149)를 떠올리게 한다. 오늘날 사이보그가 트랜스휴먼 진화의 가능한 형태와 관련된 가장 다양하고 인정받는 이미지이긴 하지만, 본인은 사이보그가 유일한 가능성은 아니라고 판단한다. 본 글은 초연결 시대를 트랜스휴먼과 포스트휴먼의 이미지가 공존하는 시대로 상정(想定)하고 "초연결-융합형 증

---

2 https://www.weforum.org/agenda/2016/01/the-fourth-industrial-revolution-what-it-means-and-how-to-respond/

강인간"의 이미지를 트랜스휴먼과 포스트휴먼이 혼재된 미래인간으로 규정한다.

현대 공상과학 소설과 영화에 등장하는 많은 초연결-융합형 증강인간의 이미지는 기존의 범주에 대한 위협으로 해석될 가능성을 나타내며, 생물학과 기술, 인간과 동물, 인간과 기계, 현실과 환상과 같은 양극화된 개념들 사이에서 종종 경계의 소멸과 축소를 위한 메커니즘으로 작용하기도 한다. 또한 이전에 확립된 도덕관념과 사회적 관습에 도전하여 필연적으로 옳고 그름, 도덕과 부도덕의 경계를 흐리게 함으로써 선과 악과 같은 보다 넓은 개념과 그것들이 인식되는 방법에 대한 새로운 통찰력을 제공하는 역할을 한다.

따라서 초연결-융합형 증강인간의 이미지가 가장 잘 묘사된 공상과학소설의 효시이자 지속해서 독자에게 생물과 창조자의 책임에 대해 깊은 반향을 일으키는 19세기에 메리 셸리(Mary Shelley)의 소설 『프랑켄슈타인, 즉 현대의 프로메테우스』(*Frankenstein, or the Modern Prometheus* 1818)[3]와 20세기에 문화 안에서 인간, 동물, 그리고 비인간에 대해 새로운 통찰력을 제시한 사무엘 베케트의(Samuel Beckett) 부조리극 『게임의 끝』(*Endgame* 1958), 그리고 정보통신기술이 자리 잡은 21세기에 인간의 일상생활에 깊숙이 침투한 AI 운영체제의 친밀한 모습을 구현한 스파이크 존즈(Spike Jonze)의 영화 〈그녀〉(*her* 2013)를 선택하여 과학자들의 도덕과 생명윤리에 대해 고민해 보고, 작품의 등장인물들을 통해 우리의 미래를 경험하고 반영하여 탐색해보기로 한다.

---

3 『프랑켄슈타인, 즉 현대의 프로메테우스』는 줄여서 『프랑켄슈타인』으로 표기한다.

2. 과학·윤리·문학적 표현에서 경계의 소멸과 독창적인 '융합'

21세기에 과학과 기술은 기계의 인간화(AI와 휴머노이드)와 인간의 기계화(프로스테시스, 인간 복제)를 가속하면서 인간과 기계를 연속적인 스펙트럼 안에서 바라보게 하고 있다. 특히, 인공지능(artificial intelligence, AI)[4]은 공학발전의 성과라고 생각하지만, 사실 인문학에서는 르네 데카르트(René Descartes)가 "오늘날 AI 연구에 계속 문제가 되는 중요한 철학적 발상"(Walsh 5)인 '코기토 에르고 줌'(나는 생각한다, 고로 존재한다)을 제시한 이래로 "인간의 정체성 문제를 유발하는 '생각하는 기계'"(O'Leary and Brasher 257)의 가능성에 대해 논의해 왔다. 영국의 수학자이자 암호학자로 컴퓨터 과학의 선구적 인물인 앨런 튜링은 1950년 「계산하는 기계와 지능」("Computing Machinery and Intelligence" 1950)에서 "기계들이 생각할 수 있을까?"(441)라는 질문을 고려할 것을 제안했지만, 미국의 영문학자이자 행동심리학자인 버러스 프레더릭 스키너(Burrhus Frederic Skinner)는 다음과 같이 주장한다.

> 진짜 문제는 기계가 생각하는지가 아니라 사람들이 생각하는지다. 사고 기계를 둘러싼 미스터리는 이미 사고하는 인간을 둘러싸고 있다. (Skinner 288)

특히 앨런 튜링은 '기계들이 생각할 수 있을까?'라는 질문은 "'기계'

---

4 이후로 인공지능(artificial intelligence, AI)은 AI로 표기한다.

와 '생각'이라는 용어의 의미에 대한 정의"(441)로 시작해야 하고, 정의는 가능한 한 그 단어의 정상적인 사용을 반영하기 위해 틀에 박힐 수도 있지만, "이러한 태도는 위험하다"(441)고 표현한다. 따라서 그러한 정의를 시도하는 대신에 그 문제와 밀접하게 관련되어 있고 "비교적 모호하지 않은 말"(441)로 표현되는 질문을 다른 것으로 대체하고자 "모방 게임"(The Imitation Game, 441), 즉 우리에게 잘 알려진 "튜링 테스트"(Handerson 10)를 제안한다. 사실, AI에 대한 튜링의 가장 유명한 공헌은 바로 이 튜링 테스트의 개념인 "사고 실험"(Handerson 26)을 고안한 것이다. 튜링은 맨체스터 대학에서 컴퓨터 프로젝트 프로그래밍의 책임자로 일하면서 튜링 테스트로 알려진 개념을 고안했다. 그리고 이 성과는 "컴퓨터가 정말로 지능적"(Handerson 10)이라는 강력한 증거로 여겨질 수 있다.

> 튜링 테스트는 한 사람이 두 개의 숨겨진 교신자, 즉 한 명의 사람과 다른 한 대의 컴퓨터 사이에서 선택하도록 한다. 만약 그 사람이 어느 것이 컴퓨터인지 신뢰성 있게 결정할 수 없다면, 그 기계는 튜링 테스트를 통과했고 지능을 증명했다고 할 수 있다.
> (Handerson 28)

문학과 영화에서도 이 '생각하는 기계'를 모티브로 하는 많은 작품이 있다. 특히 우리에게 친숙한 영화를 예로 들면, 우선 유전자 복제를 다루는 〈블레이드 러너〉(*Blade Runner* 1982), 〈아일랜드〉(*The Island* 2005), 〈네버 렛 미 고〉(*Never Let Me Go* 2010), 〈트랜센던스〉(*Transcendence*

2014), 그리고 유전자 편집을 통한 맞춤형 아기 즉 디자이너 베이비를 소재로 하는 〈가타카〉(*Gattaca* 1997), 〈마이 시스터즈 키퍼〉(*My Sister's Keeper* 2009), 또한 오늘날 가장 주목받고 있는 로봇 및 AI와 인간의 관계를 다루는 〈터미네이터〉(*The Terminator* 1984, 1991, 2004), 〈에이 아이〉(*A. I. : Artificial Intelligence* 2001), 〈그녀〉(*her* 2013), 〈엑스마키나〉(*Ex Machina* 2015) 등 이러한 작품 외에도 20세기와 21세기에 걸쳐 수많은 작품이 상영되어왔다.

이들 영화에 등장하는 유형의 '생각하는 기계'가 만들어진다면, 그 것은 인류의 삶에 엄청난 변화를 가져올 것이다. 이 기계는 인류의 삶에 가장 많은 변화를 가져오는 발명품이 될 것이며, 이러한 유형의 기계가 출현한다면 인간의 존재 자체에 대한 의미가 바뀔지도 모른다. 공상과학소설은 이미 생각하는 로봇과 AI 이야기로 가득 차 있으며, 실제로 과학은 소설 속의 이야기들을 바짝 뒤따라가며 하나하나 현실로 바꾸어 놓고 있다. 공상과학소설이 꿈꾸는 미래가 우리의 삶에서 현실로 나타나고 있다.

이러한 맥락에서, 위에 제시된 영화들의 모티브가 된 것은 바로 최초의 공상과학소설 혹은 SF의 상징인 셸리의 『프랑켄슈타인』이라는 점에는 이견이 없을 것이다. SF(Science Fiction)는 "과학소설, 공상과학소설로 번역되며 소설 장르 중 하나로 지칭되었으나 포스트모던 시대에 이르러 문학 장르뿐만 아니라 소설, 영화, 애니메이션, 만화, 광고 등 모든 영역에 걸쳐서 사용되는 관용구"(장정희 11)와 같이 되었다. 셸리의 소설을 읽지 않은 많은 사람은 '프랑켄슈타인'이 '생물체를 창조한 과학자'가 아니라 '생물체의 이름'이라고 생각한다. 『프랑켄슈타인』

은 200년 동안 지속해서 독자와 관객들에게 깊은 반향을 불러일으키는 생물과 창조자의 책임에 관한 이야기이다. 따라서 셸리의 『프랑켄슈타인』만큼 인간이 과학을 상상하는 방식과 그 도덕적 결과를 구체화한 문학작품은 없다고 감히 말할 수 있다.

셸리의 상상력은 실제로 우리가 새로운 과학기술에 맞서고, 과학 연구의 과정을 개념화하고, 과학자들의 동기부여와 윤리적 투쟁, 그리고 과학 연구의 예측하지 못한 결과를 비교하는 방식에 커다란 영향을 미친다. 따라서 『프랑켄슈타인』은 20세기와 21세기 문학, 과학, 예술 분야에서 상상력의 진원지임이 틀림없다. 『프랑켄슈타인』의 과학, 윤리, 문학적 표현에서 셸리의 독창적인 '융합'은 특히 합성생물학, 유전자 편집, 로봇공학, 기계학습, 재생의학의 시대에 과학과 기술이 어떻게 인식되고 있고, 대중이 어떻게 이해하는지 되돌아볼 기회와 새로운 과학기술 혁신을 초연결-융합형 증강인간과 맥락화할 수 있는 기회를 제공한다.

초연결-융합형 증강인간은 단순히 그들의 미학 때문에 정의되는 것이 아니라 기존의 분류 방식에 어긋나기 때문에 정의된다. 이 창조물이 인간의 개입이나 "인간이라는 물질"을 통해 생성될 때, 그것은 "인간의 형태로부터 완전히 독립된 것은 결코 아니다"(MacCormack 303). 초연결-융합형 증강인간은 사회, 문화, 신학 그리고 오늘날의 과학기술적 공포와 불안의 구현이다. 『포스트/휴먼의 표현』(*Representations of the Post/Human* 2002)에서 일레인 그레이엄(Elaine L. Graham)의 말을 빌리자면, 초연결-융합형 증강인간이 일으키는 불안감은 "인간과 비인간, 기술, 유기체를 인공물과 분리하는 자명한 경계의 파괴 한도를 표현한 데서 비롯된다"(11-12). 이것은 초연결-융합형 증강인간의 존재 자체가 이전에 인간이 규정한 범주와 경계에 대해 문제를 일으키는 공포와 불안감을 조성하기 때문이다.

따라서 셸리의 프랑켄슈타인 박사의 창조물은 사악하거나, 잘못되거나, 부자연스러운 것을 암시한다. 비록 종종 이해할 수 없지만 그것은 또한 규범적 가치의 전복이며, 육체적·영적 또는 심리적 해악의 잠재력을 나타낸다. 이 생물체는 "전통적으로 (그리고 여전히) 위협적인 다른 괴물과 같이 객관화되어 있다"(Ng 12). 독자에게 괴물로 보이는 초연결-융합형 증강인간의 존재는 조르주 캉길렘(Georges Canguilhem)에 따르면 "우리에게 질서를 가르치는 삶의 능력에 대한 의심"(Hamed 재인용 140)을 던지기 때문에 위험하다. 따라서 괴물은 인간과 비인간, 유기체와 무기체 등의 양극화된 개념을 분리하는 경계를 동시에 축소하면서 내부에 존재하는 형상으로 인식된다.

또한 초연결-융합형 증강인간은 "인간의 한계를 벗어난 것으로 추정되는 것, 즉 인간이 그 자체로 개념화하는 것에 대한 반작용"(Wick 20)을 반영한다. 따라서 초연결-융합형 증강인간은 사회적, 도덕적, 이념적 진화에 대응하여 발전하는 것으로 해석될 수 있다. 예를 들어, 신화나 중세의 알레고리적 상상력은 키메라, 미노타우로스, 켄타우로스[5]

---

5 키메라: 그리스 신화에 등장하는 머리는 사자, 몸통은 염소, 꼬리는 뱀으로 이루어진 괴물이다. 오늘날 키메라는 생물학에서 하나의 생물체 안에 서로 다른 유전 형질을 가지는 동종의 조직이 함께 존재하는 현상을 뜻한다. 서로 다른 종의 동식물 나아가서는 인간과 동물의 융합도 진행 중이다. 인간과 동물의 세포 융합의 경우 윤리적으로 논란이 되고 있다.
미노타우로스: 그리스 신화에 나오는 괴물(비스트맨)로 인간의 몸을 하고 얼굴과 꼬리는 황소의 모습을 한 괴물이다. 작품에 따라 대부분 상반신은 인간, 머리와 하반신은

와 같은 다양한 잡종화된 생물들에 의해 채워졌지만, 현대 대중문화의 알레고리적 상상력은 오늘날 AI, 로봇, 사이보그, 그리고 유전공학의 잘못 계획된 산물로 포화상태이다. 초연결-융합형 증강인간의 진화와 사회 발전의 상관관계를 관찰해보면, "과거의 괴물이 그들 시대의 도덕적, 지형적 한계를 나타내듯이, 오늘날 다른 비슷한 생물이 기술적 경계를 넘나드는 것의 의미를 측정할 수 있게 해준다"(Graham 39)고 생각할 수 있다. 이것은 사회적인 현실을 직접적이고 비판적으로 인간 상태의 면모를 반영하는 모순적인 역할을 한다. 인간 상태의 면모는 명확한 "인간의 본질에 대한 설명을 통해서가 아니라, 경계의 정의를 통해서"(Graham 11) 도달하는 것이 더 나을 수 있다.

사회적 현실과 함께 초연결-융합형 증강인간의 발달에 대한 역사적 독서를 제공하는 프랑켄슈타인 박사의 생물체는 초연결-융합형 증강인간이 본질적으로 인간의 존재를 반영하고 비평하는 데 도움이 되는 매우 중요한 창조물 중 하나라고 주장할 수 있다. 또한 오늘날 포스트모던 사회 현실과 관련해서 『게임의 끝』의 햄(Hamm)과 〈그녀〉의 시어도어 톰블리(Theodore Tombly)의 모습은 "현대의 자아실현적 예언"(Kearney 97)으로 볼 수 있다.

황소의 모습으로 나오기도 한다. 미노타우로스라는 이름의 뜻은 그리스어로 '미노스의 황소'를 뜻한다.

켄타우로스: 그리스 신화에 나오는 수인(비스트맨)이자 상반신은 사람의 모습이고 하반신은 말인 상상의 종족의 일종이다. 몸에서 말의 부분은 태양에 속하는 남성적인 힘을 나타내며, 이 힘을 다스리는 정신이 상반신을 이루는 사람 부분에 있다. 요컨대 켄타우로스는 덕성과 판단력이라는 인간의 고귀한 본성과 대비되는 인간의 저열한 본성을 상징한다.

문학작품과 영화, TV드라마 등에서 초연결-융합형 증강인간을 구현한 작품들이 많이 있지만 한정된 지면을 고려할 때, 다양한 작품에서 제시된 초연결-융합형 증강인간의 완전한 범위를 탐구할 수 없었고, 따라서 필자가 판단하기에 19세기에서 현재까지 세기별로 초연결-융합형 증강인간을 가장 알레고리적으로 묘사한 대표적인 작품이라고 여겨지는 『프랑켄슈타인』, 『게임의 끝』 그리고 〈그녀〉 세 작품에 우선권이 주어졌다. 본 글은 이 세 작품의 등장인물들을 통해서 초연결-융합형 증강인간의 출현으로 야기된 인간의 정체성의 위기에 대한 통찰력에 주목하고자 한다.

3. 미래인간의 알레고리적 재현: 낭만주의 시대에서 초연결 시대로

2020년은 기술과 인간이 "'연결'을 넘어 '융합'의 단계로 진입하는 원년"(Veritas Web)[6]이 될 전망이다. 미국의 정보기술 연구 및 자문회사인 가트너 주식회사(Gartner, Inc.)가 내놓은 「가트너 2020년 최고의 전략적 기술 동향」("Gartner Top 10 Strategic Technology Trends for 2020")은 기술이 우리의 삶에 어떤 영향을 미칠지에 중점을 두고 있다. 그중 대표적인 전략 기술로는 "인간증강"(Human augmentation, Gartner Web)[7]이 있다. 우선 인간의 증강은 미래지향적인 사이보그에

---

6 https://www.veritas-a.com/news/articleView.html?idxno=300771

7 https://www.gartner.com/smarterwithgartner/gartner-top-10-strategic-technology-trends-for-2020/

대한 비전을 떠올리게 하지만 인간은 수백 년 동안 신체의 일부를 증강해왔다. 안경, 보청기, 의족 등은 레이저 안과 수술, 인공 귀, 웨어러블로 진화했다. 하지만 만약 과학자들이 기억 저장량을 늘리기 위해 뇌를 증강하거나 신경 패턴 암호를 해독하기 위해 칩을 이식할 수 있다면 어떨까? 기술은 이제 인간의 능력을 대체하는 증강을 넘어 초인적인 능력을 창출하는 증강으로의 전환점에 서 있다.

인간증강이란 의학이나 기술을 통해 인간의 능력을 증강하는 것을 목적으로 하는 연구 분야이다. 이것은 역사적으로 선택된 능력을 증강하는 화학 물질을 소비하거나 의료 수술이 필요한 임플란트를 설치함으로써 달성되었다. 특히, 디지털 기술을 통해 "인간의 지성을 증강한다"(Engelbart 4)는 생각은 오랜 전통을 가지고 있다. 이 용어는 인간과 컴퓨터의 상호작용 분야의 선구자이자 컴퓨터 마우스의 발명자로 유명한 더글러스 엥겔바트(Douglas Engelbart)의 『인간의 지성을 증강시키기: 개념적 틀』(*Augmenting Human Intellect: A Conceptual Framework* 1962)에서 처음 사용되었다.

그는 이 보고서에서 인간의 지성을 증진하기 위한 수단을 개발하기 위한 프로그램의 첫 단계를 다루면서 이러한 "수단"은 많은 것이 포함될 수 있는데, 그 모든 것들은 과거에 인간이 자신의 고유 감각, 정신, 운동 능력을 적용하는 데 도움을 주기 위해 개발되고 사용되었던 "수단의 확장"일 뿐인 것 같다며, 자신은 인간의 전체 시스템과 우리의 "증강 수단"을 실질적인 가능성을 찾는 적절한 분야로 간주하고 있다고 말한다. 또한 그것은 우리 사회에 매우 중요한 시스템이고, 대부분 시스템과 마찬가지로 그것의 성능은 요소들을 분리해서 고려하는 것이 아니라 상호작용하는 요소들의 집합으로서 전체를 고려함으로써 가장 잘 향상될 수 있다고 주장한다(Engelbart 4). 그리고 오늘날 그의 주장대로 인간을 증강하기 위해 구상된 많은 기술이 일상화되어 있다. 또한 미래를 내다보는 많은 기술이 다양한 도구를 사용하여 원래의 비전을 훨씬 넘어 인간의 몸과 마음을 증폭시키고 있다.

우리 인간은 도구를 통해 자신의 목적에 부합하도록 세계를 조작함으로써 문명을 이룩해왔지만, 오늘날의 생명과학 기술은 자연뿐만 아니라 인간을 기술의 대상으로 삼아 새로운 인간종에 도전하게 하고 있다. 인간의 출생, 질병, 노화는 불가침 영역에 속했지만, 21세기에는 생명과학이 이 분야에 개입하여 약물, 프로스테시스,[8] 수술 등의 도움으로 인간의 인지적, 신체적, 정신적, 윤리적 한계에 도전함으로써 불가능한 것을 뛰어넘으려고 시도한다. 게다가 우리는 지금 인간이 어떤 존재인지 이해하는 수준을 넘어 인간의 본성 자체를 바꿀 수 있는 시대에 살고 있다. 말하자면 인간의 물질적 구성이나 정신적 특성을 인위적으로 선택하고 조작하여 우리 자신의 진화 방향을 결정하는 최초의 종이 되는 "디자이너 진화"(Deneen 633)에 도달한 것이다. 물론 이것은 나노기술·생명공학·정보통신·인지과학과 같은 가장 진보된 과학기술의 발전 덕분이다.

사실 인류 역사의 발전은 인간의 욕구 충족을 위해 스스로 신체적, 정신적 능력의 한계를 넘어서기 위한 기술과 도구를 개발하고 발전시

---

8 신체의 잃어버리거나 손상된 부분을 교체하거나 증강하는 인공장치(Coppard, Lohman 492). 이후로 의족, 의수와 같은 인공장치는 프로스테시스로 표현한다.

켜온 과정이라 할 수 있다. 현재 4차 산업혁명의 기반이 되는 AI, 로봇, 가상(증강)현실, 바이오 기술 등 핵심기술의 발전 방향 역시 인간의 한계를 극복하고 무병장수를 꿈꾼다는 점에서 본질은 같다. 4차 산업혁명은 기술을 바탕으로 인간의 한계를 극복하려는 초연결 시대에 기술 혁신을 통해 어떻게 미래사회가 변화되는지를 타당하게 예측하기 위해 시도되었고, 이러한 예측 결과를 바탕으로 트랜스휴먼 기술과 포스트휴먼 이론은 증강인간의 진입과 대응을 위한 해답의 실마리를 찾고자 하였다. 이를 위해 트랜스휴먼과 포스트휴먼 관련 과학·기술, 문화·사회 및 예술 분야의 전문가들이 트랜스휴머니즘과 포스트휴먼 이론을 기반으로 미래인간과 미래사회의 다양한 모습을 제시했다.

하지만 미래인간의 비전을 제시하는 과정에서 트랜스휴머니즘과 포스트휴먼의 역사적인 배경 및 발전과정과 두 이론의 혼재성과 연관지어 공상과학소설과 영화에 묘사된 등장인물을 "초연결-융합형 증강인간"의 이미지를 알레고리적 재현으로 분석하여 미래사회와 미래인간을 예측하는 논문은 많이 다루어지지 않고 있다. 주로 문학작품과 드라마, 영화 등을 개별적으로 분석하면서 트랜스휴머니즘 이론과 포스트휴먼 이론을 각각의 방법론으로 제시하는 경향이 크다. 따라서 본 글은 트랜스휴머니즘과 포스트휴먼 두 이론의 관점에서 19세기 "초연결-융합형 증강인간"이라는 새로운 미래인간의 출현과 20세기 과도기적 단계, 그리고 현재 초연결 시대에 이르기까지 미래인간의 발전과정을 위에서 제시한 세 작품의 등장인물의 알레고리적 해석을 통하여 제시하고자 한다.

— 19세기: 『프랑켄슈타인』

거의 200년이라는 시간적 차이에도 불구하고, 공상과학 소설과 영화는 분명히 메리 셸리의 『프랑켄슈타인』과 특정한 특징을 공유하고 있다. 따라서 소설 『프랑켄슈타인』은 재평가할 가치가 매우 크다고 할 수 있다. 과학소설은 문학의 과학적 상상력이 만들어낸 당대의 과학과 기술의 산물이다. 그것은 문학과 과학이 문화 속에 녹아들어 있기 때문이다. 다시 말해, 문학과 과학은 그것들이 무엇이든 "담론의 방식"(Rauch 3)이며, 그것들이 포함된 문화의 관습에 의한 것 외에는 특권이 없기 때문이다.

『프랑켄슈타인』은 과학이 발전하면서 20세기와 21세기에 어떻게 재해석되고 창조되었는가? 『프랑켄슈타인』은 "우리에게 미래의 발전에 대한 경고"(Kellner 302)로 시작해서 이제는 사이버 펑크, 즉 "장르가 컴퓨터화된 기술 문화(컴퓨터나 인터넷 등의 영향을 받은 문화) 세계에서 우리의 삶을 어떻게 표현할 수 있는지에 대한 SF의 가장 매력적이고 정보에 입각한 답변들 중 하나"(Hollinger 191)인 '사이버 펑크' 소설과 영화까지 진화되어왔다. 진화과정에서, 에린스 외즈데미르(Erinç Özdemir)는 자신의 에세이 「프랑켄슈타인: 자아, 육체, 창조와 흉물 덩어리」("Frankenstein: Self, Body, Creation and Monstrosity")에서 처음에는 프랑켄슈타인 박사에게 초점을 맞추면서 그가 "자신과 같은 존재"(a being like myself, 25)인 "인간 존재"(a human being, 25)를 창조하려고 애쓰는 과학자의 도전과 야망, 다시 말해 신에게, 즉 신의 목적에 의당 직접적인 도전인 "무한한 인간의 야망"(129)에 대한 찬사를 바친다고 쓰고 있다.

반면에 크리스토퍼 투미(Christopher P. Toumey)는 「미친 과학자들의 도덕적 특성: 과학에 대한 문화적 비판」("The Moral Character of Mad Scientists: A Cultural Critique of Science" 1992)에서, 신의 금기를 어긴 과학자는 결국 『프랑켄슈타인』의 "비참한 괴물"(miserable monster, 27)과 같은 이야기 속의 괴물을 만들어내서 벌을 받게 되리라는 경고에 중점을 두고, 다음과 같이 주장한다.

> 소설과 영화의 미친 과학자 이야기는 반합리주의, 특히 고딕적 공포의 변종 연습이다. … 합리주의 세속 과학은 위험하며, 그렇게 하는 주된 장치는 과학자의 성격에 과학의 악을 투자하는 것이다. (411)

국내 연구 자료 중 추채욱은 「19세기 과학소설에 재현된 의과학 발전양상 연구: 『프랑켄슈타인』에 나타난 생명과학 실험을 중심으로」에서 괴물이 자연과 과학 사이에 그리고 동물과 인간 사이에 갈등하는 중간자로서의 생태적 함의를 파괴적 숭고함을 통해 외연화하고 있다고 해석했다. 또한 「『프랑켄슈타인』에 나타난 괴물의 의미를 다시 생각하기: 자연과 과학의 경계에서」, 그는 『프랑켄슈타인』 속에 반영된 당시의 의과학적 정보와 프랑켄슈타인의 생명과학적 실험을 연계시켜 19세기 전후의 의과학의 발전양상을 분석하였다.

김중철은 「프랑켄슈타인과 언어문제」에서 월턴(Walton) 선장과 프랑켄슈타인 박사, 그리고 괴물의 언어인 말과 글에 초점을 두어 창조물이 언어를 습득해 자신을 버린 인간사회에 복수한다는 설정하에 언어 문제를 다루었고, 박경서(「Si-Fi와 프랑켄슈타인 반(反)생명윤리의식」), 김명균과 김동균(「생명공학과 윤리−메리 셸리의 『프랑켄슈타인』을 중심으로」)은 '생명창조'에 있어 과학자의 반생명윤리의식을 분석하였다.

그리고 이선주는 「포스트휴먼 관점에서 본 『프랑켄슈타인』」에서 포스트휴먼적 관점에서 "감각과 의식은 분리된 것이 아니라 연속적이며 신체의 이동성과 주변에 대한 상호작용으로 의식이 확장되는 것"(70)이어서 "괴물이 처음 언어를 익히는 장면은 감각과 의식의 연속성"(71)에 해당하고 높은 수준의 의식과 지능적 사고도 "뇌를 통해서만이 아니라 몸 전체에 분산되어 이루어진다. 연상 작용의 활성화를 결정하는 것은 무엇이라고 특정할 수 있는 것이 아니라 개인적 경험, 문화적 관습뿐 아니라 자극 당시의 콘텍스트, 개인의 생리적 상태나 표현의 어조 같은 요소들이 포함"(73) 된다고 주장한다. 하지만 이선주의 표현대로 '괴물'은 개인적 경험과 문화적 관습은 직접 몸으로 체험한 것이 아니라 글자로만 익힌 것이기 때문에 언어의 습득과정과 사고능력이 '감각과 의식의 연속성'에서 이루어진다는 주장은 설득력이 부족하다고 생각한다.

공교롭게도 선행연구에서 프랑켄슈타인 박사의 '창조물'에 대한 명칭이 모두 '괴물'인 것에 주목해보면 필자들은 모두 '창조물'을 '괴물'이라는 결정하에 주장을 펼치고 있다. 최근 논문 또한 여전히 고유명사처럼 '괴물'이라는 표현을 사용하기도 하지만 '생물'(the creature)이라는 표현을 더 많이 사용하는 추세이다. 예를 들어 조세핀 존스턴(Josephine Johnston)은 과학자로서의 창조행위 과정에서의 양심과 창조물이 가져올 잠재적 영향에 대한 통찰력의 부족 그리고 '생물'의 치명적인 행위의 결과에 대한 책임을 비판하고(202-207), 케이트 맥코드(Kate MacCord)와 제인 마이엔스카인(Jane Maienschein)은 인간은 발달 과정을 겪으면서 인간성을 유지하고 발전시키는 데 물질로 창조된 육체만 성인인 '생물'을 인간으로 보고자 했던 프랑켄슈타인 박사는 인간의 본성에 대한 명확한 견해를 가지고 있지 않다고 비판하지만 2세기가 지난 후에도 프랑켄슈타인 박사와 그의 인간이 아닌 '생물'은 독자에게 우리의 인간 본성을 알리는 데 도움을 준다고 해석한다(215-221). 또한 데이빗 거스턴(David Guston)은 프랑켄슈타인 박사의 '생물' 창조를 원자폭탄의 발명과 비교하며 『프랑켄슈타인』은 우리가 과학과 기술을 추구함에 따라 성공에 동반할 수 있는 공포를 묘사한, 예지력 있는 비유로, 괴테의 파우스트의 비신학적인 버전을 사로잡고 있다고 주장한다(247-251).

또한 여러 문학 평론가는 『프랑켄슈타인』이 "프랑스 혁명의 알레고리"(Tambling 88)라고 평했지만, 제러미 템블링(Jeremy Tambling)은 『프랑켄슈타인』의 글은 "전통적인 알레고리의 경계를 넘어선다"고 묘사한다(109). 또한 윌리엄 맥네일(William P. MacNeil)은 프랑켄슈타인 박사의 생물체가 저지른 법의 위반과 그에 뒤따르는 법적 절차가 소설에 의해 생생하게 극화된 "법의 알레고리"(78)로 읽힐 수 있다고 주장한다. 또한 "단어 자체에서 나온 신조어로 맥도날드 치킨 맥너깃에 대한 소송에서 판사는 판결을 내리면서 이 제품을 '맥프랑켄슈타인 창조물'(a McFrankenstein creation)이라고 비난한다"(Young 3). 프랑켄푸드(Frankenfood), 맥프랑켄슈타인, 프랑켄파인(Frankenpine)의 이름들이 시사하듯이 셸리의 『프랑켄슈타인』 이야기는 괴기스러운 분위기의 고딕적 공포에서 오늘날 블랙 코미디 혹은 블랙 유머로 옮겨간다. 엘리자베스 영(Elizabeth Young)은 알레고리를 "뒤에 따라오는 독서를 위한 하나의 틀"(11)이라고 표현하면서 이러한 "프랑켄슈타인 이야기 중 많은 것을 알레고리"(11)로 읽었다고 이야기한다.

하지만 최근 몇 년 동안은 프랑켄슈타인 박사의 '창조물'에 초점을 맞추면서 그것에 대해 각기 다른 시각들이 표출되었는데, 영화와 문학 작품을 포함하여, 다양한 분야에서 과학과 기술의 발전이 가져올 미래를 준비하고 그것이 어떤 형태의 존재로 출현하든 공생의 길을 모색하고자 하는 견해들이 나타나고 있다. 다시 말해, 공포 장르의 괴물처럼 여겨졌던 프랑켄슈타인 박사의 창조물이, 지능형 기계에 관한 생각을 긍정적인 시각으로 돌리게 되면서, 다른 태도가 형성되기 시작했다는 것이다. 유전자 복제나 편집, 그리고 AI와 같은 과학과 기술의 방법을 비판하면서도 몇몇 작품들은 과학기술이 살아있는 존재를 창조하는 것에 대한 공감을 이끌어내려는 야망을 공유하고 있다. 또한, 이들 영화의 궁극적인 요점은 과학 자체의 해가 되지 않는 다른 존재들, 특히 우리 인간을 대체할 다른 존재로 예상되는 AI를 어떻게 다루어야 하는지에 관한 것들이다. 이러한 연구 동향에 동의하는 태도에서 본 글은 초연결-융합형 증강인간의 기원을 메리 셸리의 『프랑켄슈타인』으로 거슬러 올라가 프랑켄슈타인 박사의 창조물과 초연결-융합형 증강인간의 이미지 사이에 유사성을 알레고리적 해석으로 분석하고자 한다.

― 20세기: 『게임의 끝』

20세기 작품 중 초연결-융합형 증강인간의 관점에서 알레고리적으로 가장 잘 분석할 수 있는 작품은 부조리극의 대가인 사무엘 베케트의 『게임의 끝』이라 할 수 있다. 베케트는 "『게임의 끝』에는 어떤 사건도 일어나지 않는다. 모든 것은 유추와 반복에 기초한다"(Bair 467)고 묘사한다. 따라서 비평가들은 다양한 알레고리적인 해석을 해왔다. 예를 들어, 토마스 아이젤(Thomas Eisele)은 『게임의 끝』을 "종교적인 테마"(11)로 취급하며 종말론을 제시하고, 제임스 놀슨(James Knowlson)은 "『게임의 끝』의 사건과 사고를 체스 게임으로 병치"(al-Nabrawi 재인용 55)하려고 노력한다. 또한 시어도어 아도르노(Theodor W. Adorno)는 "어느 사람만큼이나 교육을 받은 베케트가 파산을 제시하고 있다, 다시 말해 철학, 즉 정신 그 자체가 파산을 선언하고 있다"(121)고 주장하면서 인식론적 견해를 밝히고 있으며, 황훈성(Hwang, Hoon-sung)은 "계몽주의 이성의 파산을 계기로 인간과 자연 사이의 소위 포스트모던 대립을 알레고리적인 형태"(131)로 묘사하고 있다.

린다 벤-즈비(Linda Ben-Zvi)는 베케트가 인간과 인간이 아닌 동물과 관련하여 종에 대한 새로운 이해의 가능성을 수행하는 것은 바로 연극 분야에서 행해져 왔던 것처럼 "인간중심주의에 대한 비평"(Mary 재인용 7)에서였다고 이야기한다. 또한 울리카 모테(Ulrika Maude)는 모든 인류가 새롭게 도약할 수 있는 『게임의 끝』의 클로브(Clov)의 "벼룩"(33)처럼, 베케트의 작품은 인간의 범주에 특권을 부여하는 역할을 해온 의식, 의도적인 주관성, 언어 등 "모든 주요 전제들에 의심"(Mary 재인용 8)을 던진다고 표현한다. 『게임의 끝』의 인간과 인간이 아닌 동물성 사이의 연속성에 대한 이러한 성찰은 인간의 자기 정의에서 동물이 하는 역할을 드러낼 뿐만 아니라, 인간이 되는 것이 무엇인지에 대한 더 많은 성찰을 불러일으킨다. 이것은 차례로 현대의 문화 안에서 동물과 비인간을 생각하는 새롭고 중요한 통찰력을 제공한다.

또한 스탠퍼드 대학의 영어 교수인 아토 퀘이송(Ato Quayson)에 따르면 "언어와 문맥과 관련된 언급 사이의 비 일치성의 정도는 텍스트가 행동의 다양한 요소들과 함께 알레고리적 또는 실제로 형이상학적 식별을 장려하는 정도에서 볼 수 있고"(66) 연극 제목이 제공하는 암시에 근거해서 그것은 또한 "홀로코스트 후의 세계에 대한 알레고리, 사람의 두개골 내부, 체스판 위의 움직임, 구원의 탐구에 대한 준 성경적 설명"(66)으로 다양하게 해석되어 왔다는 것을 확인할 수 있다.

이러한 다양한 해석이 가능한 것은 "언어의 파편적인 성격과 그것이 호기심을 돋우듯 알레고리적이라는 사실은 의미를 추구하기 위한 행동의 조각들을 끊임없이 조립하고 재조립하려는"(Quayson 66) 학자들의 노력이 있었기 때문이다. 본 글 또한 열린 해석이 가능하게 해준 베케트의 『게임의 끝』을 초연결-융합형 증강인간의 알레고리적 재현으로 해석하여 트랜스휴머니즘의 개념을 중점적으로 다루면서 초연결-융합형 증강인간의 출현으로 야기된 인간의 정체성의 위기에 대한 통찰력을 제공한다.

― 초연결 시대: 〈그녀〉

스파이크 존즈의 영화 〈그녀〉에서 미래사회는 개인으로부터 인간관계의 중요성을 기술로 이동시켰고 기술은 동시에 개인들을 소외시켰기 때문에, 사람들이 감정적으로 멀어지고 고립되어, 일대일 상호작용에 대한 욕구가 증가하고 나아가 AI 기술을 위한 길을 닦아주는 디지털 세계를 만들어냈다. 또한 〈그녀〉의 가장 매혹적인 새로운 차원 중 하나는 AI 시스템에 의한 시뮬레이션 된 감정 반응의 윤리적, 심리적 영향이다. 기술의 친밀함이 편재해 있는 스마트한 도시를 배경으로 다양한 볼거리와 생각할 거리를 제공해주는 영화 〈그녀〉는 그만큼 다양한 선행연구가 이루어졌다.

센트럴 미시간 대학의 교수인 데이비드 스미스(David L. Smith)는 20세기 종교작가인 앨런 와츠(Alan Watts)와 자아의 문제를 "불교적" 관점에서 분석하였고, ≪데이즈드≫(Dazed) 지의 보도기자인 브릿 도슨(Brit Dawson)은 감정적 지능형 AI 관점에서 "AI가 인간보다 감정적으로 더 많은 지능을 가지고 있을 수 있다"고 본다. 본머스 대학의 영어와 뉴 미디어 학과 교수인 부론윈 토마스(Bronwen Thomas)는 "문학비평과, 내러톨로지 그리고 언어학으로부터 영화의 등장인물의 대화이론"을 이끌어냈고, 블레즈 파스칼 대학의 영미문학과 문화연구 교수인 크리스토프 젤리(Christophe Gelly)는 "디지털 로맨스와 포스트-시네마", 즉 존즈의 영화 담론이 영화의 미래, 다시 말해 영화가 없는 미래에 대한 더 일반적인 두려움과 어떻게 연관되어 있는지를 검토하고 있다. 그리고 테살로니키 아리스토텔레스 대학의 이오나 마브리두(Ionna Mavridou)는 "AI의 기술과 구현 그리고 젠더의 문제"를 다루었다. 공상과학영화라는 장르의 특성상 〈그녀〉 외에도 다양한 작품에 관한 꾸준한 연구가 이어지고 있고, 모든 분야에 걸쳐 AI가 급속도로 보급되고 있는 현시점에서 '친밀함'(intimacy)이라는 강력한 기술의 윤리적, 정치적 파장성을 인지하기 위해[9] 〈그녀〉를 기술의 친밀함의 알레고리로 재해석하고자 한다.

4. 맺음말

우선 1장은 본 글에 주어진 작품의 서술에서 제시된 사회현실과 초연결-융합형 증강인간이 독자들이 생물학과 기술의 통합에 대한 작품의 알레고리적 해석방식에 접근할 수 있도록 위치를 정할 수 있는 관점을 제공하기 위해 "초연결"의 의미를 확장하고, 문학에서 알레고리라는 용어적 사용을 살펴본 후 본 글에 주어진 작품의 등장인물들의 알레고리적 재현에 대한 해석방식을 효과적으로 제시한다. 또한 초연결-융합형 증강인간의 기원인 셸리의 『프랑켄슈타인』의 탄생 배경을 알아보기 위해 19세기의 사회적 분위기와 인간, 그리고 과학 특히 지질학과 생물학 분야를 검토한다. 그리고 더 나아가 본 글에 주어진 작품의 등장인물, 즉 초연결-융합형 증강인간의 이론적 틀의 현실적인 주요 부분을 차지하는 트랜스휴머니즘 이론의 탄생과 발전과정을 추적하여 생물학과 기술의 통합에 주목한다.

---

9 미국 최고의 싱크탱크들의 만남과 대화의 장인 아스펜 연구소는 2020년 1월 산·학·시민사회를 아우르는 25명의 지도자를 소집해 '인공적 친밀감'의 경계를 탐색했다. 참가자들은 기계학습 전문가에서부터 철학자, 비즈니스 리더, 학자, 심리학자, 발명가, 예술가에 이르기까지 다양한 관점에서 '개인이 기계와 어떻게 상호작용을 할 것인가'로부터 다양한 도발을 제기하였다. (Gloria Web)

2장은 초연결-융합형 증강인간의 기원을 메리 셸리의 『프랑켄슈타인』으로 거슬러 올라가 프랑켄슈타인 박사의 창조물과 초연결-융합형 증강인간의 이미지 사이에 유사성을 그린다. 프랑켄슈타인 박사와 그의 창조물의 관계를 조사하면서, 이 장은 인간에 대해 성찰하고 AI와 창조물의 학습 과정을 비교하여 유사성을 검토한다. 또한 비윤리적인 과학자와 기술의 발달로 인한 잠재적 결과의 일부를 강조할 뿐만 아니라, 여전히 비도덕적이긴 하지만, 인간증강 이행의 원인 제공자인 과학자의 독자적인 실험 행보의 위험성을 시사한다.

3장에서는 2장에서 제시된 과학과 기술로부터 파생된 생명체로부터 변화하여, 생물학과 기술의 통합으로 인한 초연결-융합형 인간의 알레고리적 재현을 중점적으로 다룬다. 이 장에서는 미래의 프로스테시스와 마인드-업로드, 그리고 프랜시스 후쿠야마(Francis Yoshihiro Fukuyama)의 세 가지 범주, 즉 '인간배아 복제', '약물에 의한 인간의 감정 조절과 향상', 그리고 '줄기세포에 의한 수명 연장'이라는 기존의 자연적인 인간의 정체성을 위협하고 있는 문제들에 근거하여 생물학과 기술의 통합에 따른 가능성의 초기 해석을 반영한다. 요약하면, 이것은 트랜스휴머니즘 이론으로 묘사된 초연결-융합형 증강인간을 암시하기 위한 것이다. 이 아이디어를 탐구하기 위해 이 장에서는 베케트의 『게임의 끝』에서 트랜스휴머니즘의 개념을 중점적으로 다루면서 초연결-융합형 증강인간의 출현으로 야기된 인간의 정체성의 위기에 대한 통찰력을 제공한다.

4장은 존즈의 〈그녀〉를 기술의 친밀함의 알레고리적 재현이라는 관점에서 분석한다. 초연결-융합형 증강인간과 AI의 공감에 초점을 두어 튜링 테스트와 중국어 방 논변의 관점에서 문제점을 시사하고, 스마트한 초연결 미래사회의 인공적 친밀감 속에서 인간과 기계의 관계가 우리 삶의 모든 측면에 내재하여 있을 때, 인간 대 인간의 관계와 인간 대 기계의 관계에 어떤 일이 일어날지 예측하고, 인간과 기계 관계의 이론적, 개인적, 사회적 실체를 알리기 위한 도구로서 이 연구 영역의 정당성을 개진하고자 한다.

1장

초연결-융합형 증강인간의 이론적 배경

1. 초연결과 알레고리

— 초연결(hyper-connected)

AI 기술은 우리의 생태계를 공유하고 우리와 함께 진화하는 새로운 삶의 형태로 보여야 하는가? 인간은 기계를 정의하고 있는가, 아니면 기계가 인간을 정의하고 있는가? 기술이 우리가 기술을 형성하는 만큼 우리를 형성하고 있는 초연결 시대에 '초연결'이라는 용어의 의미를 살펴볼 필요가 있다.

'초연결(성)'(Hyper-connectivity)이란 용어는 "시간과 장소, 대상의 제약을 받지 않고 언제, 어디서나, 무엇과도 연결되는 것"을 말한다. 캐나다의 사회과학자인 애나벨 퀀안-하세(Anabel Quan-Haase)와 베리 웰만(Barry Wellman)이 처음 사용한 개념이다. 이 용어는 "네트워크화된 조직 사회에서 이메일, 메시지, 전화, 정보서비스 등과 같은 다양한 커뮤니케이션을 통해 사람, 사물 등이 서로 소통하는 것"(공간정보 Web)이다. 오늘날 인터넷과 모바일 등 뉴미디어가 빠르게 보급되면서 실시간으로 전 세계 모든 지역의 사람들과 지식과 정보를 주고받을 수 있는 인터넷 문화는 세계적으로 확산되었고 이러한 상황은 국가 간 경계를 점점 무의미하게 만들고 있다. 이필렬은 "공간적·시간적 거리의 소멸, 지역과 국가 간 경계의 소멸은 인터넷으로 대표되는 정보기술의 발달로 나타난 것이고 인터넷은 도시의 발명이 만들어낸 인공적인 공간과 비교될 만한 일종의 '인공적인 생활공간'으로 전 지구를 연결하여 하나의 축약된 세계로 만들었다"(218-221)고 주장한다.

또한 "정보통신기술(ICT: Information and Communication Technology)을 기반으로 하는 사물 인터넷(IoT: Internet of Things) 및 만물 인터넷(IoE: Internet of Everything)[1]의 진화를 통해 인간-인간, 인간-

---

1 사물 인터넷(Internet of Things, IoT): 각종 사물에 센서와 통신 기능을 내장하여 인터넷에 연결하는 기술. 즉, 무선 통신을 통해 각종 사물을 연결하는 기술을 의미한다. 인터넷으로 연결된 사물들이 데이터를 주고받아 스스로 분석하고 학습한 정보를 사용자에게 제공하거나 사용자가 이를 원격 조정할 수 있는 인공지능 기술이다. 여기서 사물이란 가전제품, 모바일 장비, 웨어러블 디바이스 등 다양한 임베디드 시스템이 된다. 사물 인터넷에 연결되는 사물들은 자신을 구별할 수 있는 유일한 아이피를 가지고 인터넷으로 연결되어야 하며, 외부 환경으로부터의 데이터 취득을 위해 센서를 내장할 수 있다. 모든 사물이 바이러스와 해킹의 대상이 될 수 있어 사물 인터넷의 발달과 보안의 발달은 함께 갈 수밖에 없는 구조이다. (wikipedia)
만물 인터넷(Internet of Everything, IoE): 사람과 프로세스, 데이터, 사물의 지능적 연결로 사물 인터넷이 진화된 형태이다. 사람-프로세스-데이터-사물의 연결로 얻어진 정보는 새로운 기능 및 비즈니스를 위한 경제적 가치로 창출된다. 만물 인터넷은 측정 대상을 탐지하고 상태를 평가할 수 있는 수십억 개의 물체가 있는 세계이다. 사람들을 관련 있고 가치 있는 방식으로 서로 연결하고, 데이터를 지능형으로 변환하여

사물, 사물–사물을 대상으로 한 초연결성이 기하급수적으로 확대되는 현상"(주대영, 김준기 8-9)을 말한다. 다음으로 '초연결(된)'(hyper-connected)이라는 용어는 2008년 미국의 IT 컨설팅 회사 가트너(The Gartner Group)가 처음 사용한 말이다. 따라서 초연결 사회는 인간과 인간, 인간과 사물, 사물과 사물이 네트워크로 연결된 사회이며, 이미 우리는 이런 초연결 사회로 진입해 있다고 말할 수 있다. 이 용어는 제4차 산업혁명의 시대를 설명하는 특징 중 하나를 설명하는 말로 모든 사물이 마치 거미줄처럼 촘촘하게 사람과 연결되는 사회를 말한다. 초연결 사회는 사물 인터넷을 기반으로 구현되며, SNS(소셜 네트워킹 서비스), 증강현실(AR) 같은 서비스로 이어진다(과학백과사전 Web[2]).

특히 가상현실 기술은 아직 걸음마 단계로 볼 수 있지만 급속도로 발달하고 있다. 가상현실 기술로 인해 일어나는 현상인 현실과 환상 사이 경계의 소멸은 가상현실과 실제현실 사이의 가상과 실재를 구별할 수 있는 인간의 이성적 능력을 상실시키고, 환상과 현실의 경계는 점점 불분명하게 만들 것이다. 예를 들어 공상과학영화를 재현해놓은 가상현실 속에 들어가 있는 사람의 가상체험은 현실세계에서의 체험과 거의 동일하기 때문에 그는 현실에서는 불가능한 상황, 즉 환상을 마치 현실인 것처럼 느끼게 되고, 적어도 가상현실 속에 머무르는 동안은 환

더 나은 의사 결정을 내리게 된다. 사물은 지능형 의사 결정을 위해 인터넷과 연결되어 있으며 IoT라 불린다. 광대역 초고속 통신망, 유비쿼터스 센서 네트워크, 스마트 그리드 등이 유기적으로 연결된 모든 네트워크를 의미한다. (과학백과사전)

2 https://www.scienceall.com/%EC%B4%88%EC%97%B0%EA%B2%B0-%EC%82%AC %ED%9A%8Chyper-connected-society/

상과 현실을 구분하지 못할 수 있다(이필렬 219).

이 정의에 더하여, 본 글은 '초연결'(hyper-connected)이라는 용어를 트랜스휴머니즘과 포스트휴먼 이론의 관점에서 좀 더 확장하고자 한다. 트랜스휴먼과 포스트휴먼이라는 용어는 종종 서로 바꾸어 사용되어 모호한 수준을 초래한다. 트랜스휴머니즘은 과학과 기술의 사용을 통해 신체적으로나 인지적으로 인간의 상태를 증강하고 완성하는 것과 관련된 중요한 연구 영역을 말한다.

트랜스휴먼은 비평가이자 미래학자인 FM-2030(Fereidoun M. Esfandiary)이 "과도기에 있는−인간"(transitional-human)의 축약형으로 처음 사용한 개념으로, 개별 주체가 전환 상태에 있는 것을 가리킨다(42). FM-2030에 따르면, '과도기에 있는−인간' 또는 "트랜스휴먼은 새로운 진화적 존재의 가장 초기 발현"(42)이다. FM-2030이 인식한 바와 같이, 인간은 트랜스휴먼에 의해 추월되고 필연적으로 진화적 결론에 도달하는 과정에서 트랜스휴먼은 포스트휴먼에 의해 추월될 것이다. 따라서 트랜스휴먼은 부과된 제한을 줄이는 과정에서 개인으로 해석될 수 있다. 이론적으로 포스트휴먼은 병, 노화, 피로, 심지어 죽음과 같은 생리적인 제약에 더 이상 얽매이지 않는 개인이고, 트랜스휴먼은 인간과 포스트휴먼의 양극화된 대립을 구분하는 개별적인 주체로 보아야 한다. 따라서 포스트휴먼은 트랜스휴먼과는 달리 생물학적이든 유도된 것이든 인간 진화의 최종 단계를 반영한다.

실용주의 트랜스휴머니즘의 사상가들은 "포스트휴먼"이라는 용어를 정의하면서 몇 가지 다른 측면을 강조한다.

포스트휴먼은 더 이상 인간이 아닐 정도로 증강된 인간 후손이다. … 포스트 휴먼으로서, 당신의 정신적, 육체적 능력은 어떤 비 증강적 인간의 능력을 훨씬 능가할 것이다. 당신은 어떤 인간 천재보다도 똑똑하고 사물을 훨씬 쉽게 기억할 수 있을 것이다. … [당신의] 몸은 질병에 걸리기 쉽고 나이가 들더라도 악화하지 않아 무기한 젊음과 활력이 생긴다. 당신은 감정을 느끼고 즐거움과 사랑과 예술적 아름다움을 경험할 수 있는 능력이 크게 확장되어 있을 것이다. 사소한 일로 피곤하거나 지루하거나 짜증나게 할 필요는 없을 것이다. … 포스트휴먼은 완전히 합성한(AI에 근거한) 것일 수도 있고, 생물학적 인간이나 트랜스 인간을 여러 부분 증강시킨 결과일 수도 있다. 어떤 포스트휴먼들은 심지어 그들의 몸을 없애고 대형 초고속 컴퓨터 네트워크의 정보 패턴으로 사는 것이 유리하다고 여길지도 모른다. (Transhuman Declaration 1998)[3]

이 선언에 따르면 인간의 수명이 유전자 조작이나 노화 억제 유전자 약물을 통해 크게 연장됨에 따라 청년과 노년 사이의 경계는 사라지고 인간에게 인공물을 주입하여 생물과 무생물 사이의 경계를 약화할 수 있다. 어느 한 사람의 경험이나 지식은 두뇌나 인체 신경망과 연결된 컴퓨터의 무선전송을 통해 여러 사람과 공유될 수 있고, 개개인에게만 고유하게 간직되었던 지식과 경험의 경계가 사라져 가상현실과 현실, 나의 경험과 타인의 경험, 나의 감정이나 타인의 감정도 서로 구분

---

3 http://www.transhumanism.org/resources/faq.html

하는 일이 어려워질 것이다(이필렬 219-220).

　반면에 포스트휴먼 사상가인 이합 하산(Ihab Hassan)은 "불확정성" (indeterminacy)이 "모호함, 불연속성, 이단성, 다원성, 무작위성, 반란, 변태성, 변형성"(282)을 포괄하는 포스트휴먼의 특징 중 하나라고 강조한다. 이것은 포스트모던적 정신 상태의 일부로 여겨지는데, 특히 '변형성'(deformation)은 동질의 배타적인 강력한 독립체로서의 인간에 대한 의문을 제기하기 때문이다. 또한 하산은 "우리는 먼저 인간의 욕망과 모든 외부 표현을 포함한 인간의 형태가 급진적으로 변화하고 있을 수 있다는 것을 이해해야 하며, 따라서 다시 비전화되어야 한다. 휴머니즘이 속수무책으로 포스트휴머니즘이라고 해야 할 어떤 것으로 변모함에 따라 500년의 휴머니즘이 종말을 맞이하고 있을지도 모른다는 사실을 이해할 필요가 있다"(843)고 주장한다.

　하산과 같은 초기 포스트휴머니스트나 미셸 푸코와 같은 안티휴머니스트들은 실제로 "16세기 이후"(Foucault 385) 서구에서 지배적이었던 문화, 즉 "5백 년의 휴머니즘"(Hassan 843)을 대체하는 "새로운 도덕적, 지적 풍토"(Saldin 190)의 출현을 인정한다. 포스트휴머니즘 이론의 상당 부분이 포스트휴먼의 "유동성과 자유"(Sterling 274)를 주장해 왔으며, 대체로 해러웨이의 사이보그 개념에서 영감을 받았다.

> 20세기 후반의 기계들은 자연과 인공, 심신, 자기 계발과 외부적으로 설계된 것, 그리고 유기체와 기계에 적용되곤 했던 많은 다른 차별성의 차이를 완전히 모호하게 만들었다. (Haraway 11)

자주 인용되는 이 문장은 포스트휴머니즘에서 경계를 허물고 그에 따른 존재론적 유동성의 중요성을 잘 보여준다. 로버트 라니쉬(Robert Ranisch)와 스테판 로렌츠 소그너(Stefan Lorenz Sorgner)는 "포스트휴머니즘은 지배적인 이원론적 패러다임을 극복하기 위해 적극적으로 노력하고 새로운 존재론적 틀을 추구한다"(22)고 지적한다. 이것이 "충분히 대담한 형이상학"(274)이었는지는 판단의 여지가 있지만, 모두 포스트휴머니즘적 형이상학이 휴머니즘적 규범에서 상당히 벗어나는 것에 동의한다. 이러한 포스트휴먼 이론은 트랜스휴머니즘 이론에서 가능했던 경계 소멸에 더 나아가 생명공학, 특히 생명공학 기술 중에서 과학기술의 최첨단으로 자리 잡은 유전자 이식기술과 생식공학 기술의 발달로 식물 간의 경계, 동물 간의 경계, 동물과 식물 간의 경계 그리고 인간과 동물 사이의 경계 소멸의 가능성을 제시한다.

　　이필렬에 의하면 유전자 이식기술의 핵심은 "어떤 생물체의 염색체에 들어 있는 특정한 유전자 조각을 따로 떼어내고, 이 유전자를 다른 생물체의 유전자에 주입하여 새로운 유전자를 만드는 것이다. 이때 새로운 유전자를 주입받은 생물체는 이 유전자가 발현하는 특정한 성질을 보유"(221)하게 된다. 예를 들어 인간이 동물의 장기를 이식받거나 다른 사람의 장기를 이식받았을 때 그 사람의 외형상의 모습은 거의 변하지 않듯이 동물의 장기를 가지고 있다 하더라도 인간으로서 특징적인 것은 변화하지 않는다. 그러나 이러한 경우 외형상으로는 인간이지만 신체 내부에서 동물의 장기가 활동하고 있는 인간은 정신적으로 혼란을 겪을 수 있고, 이로 인해 인간의 정체성이란 측면에서 문제가 발생할 수 있다. 즉 이렇게 "혼란을 겪는다는 것 자체가 인간과 동물 사이의 경계 약화를 보여주는 것"(223)이다.

지금까지 제시한 공간적·시간적 거리, 식물과 식물, 동물과 동물, 식물과 동물, 남성과 여성, 청년과 노년, 부모와 자식, 어머니와 아버지 사이의 경계 그리고 더 나아가서 생물과 무생물 사이의 경계, 현실과 환상 사이 경계의 소멸과 축소를 의미하는 '초연결'은 트랜스휴머니즘과 포스트휴먼 이론의 혼재성을 내포하는 용어로 두 이론의 경계마저 축소시키는 트랜스/포스트휴머니즘 이론이라 할 수 있고, 이러한 이론에 부합하는 미래인간은 초연결-융합형 증강인간으로 제시될 수 있다.

一 알레고리

알레고리는 초기부터 현대에 이르기까지 "서양 문학에 편재하는 변화무쌍한(protean) 장치이다. 그것에 대한 포괄적인 역사적 처리는 존재하지 않거나 한 권으로도 가능하지 않을 것이다"(Princeton 1). 문학의 긴 역사에서 알레고리는 확장된 은유, 유형, 상징과 같은 용어와 함께 무분별하게 사용됐다. 그것의 가장 기본적인 구조에서, 알레고리는 다른 것을 말함으로써 어떤 것을 의미하는 비유적 표현이고, 그것의 그리스 어원학적 의미는 "allos(다른 것/사람, other)와 agouruein(대중 앞에서 말하기, to speak in public)"(Lee 8)이다. 따라서 알레고리적 표현은 공식적으로 양면적이고 다중적이다.

알레고리는 독수리와 비둘기 같은 단순한 상징에서부터 이솝의 알레고리와 그리스도의 알레고리에 이르기까지 많은 형태를 취해 왔다. 기본적으로 언어를 구조화하여 연속적으로 연결된 이중 또는 다중 의미 시리즈를 생성하기 위해, 이 기호 모드는 "의미 수준"을 구성하는 기호의 다른 기능을 흡수한 혼합에 크게 의존하며, 때로는 2개 또는 7개까지 다양하다. 최소한 하나의 문자적 의미는 독립할 수 없지만, 유효한 표현은 문자적 수준을 넘어서는 초월적 의미, 점증적 잉여를 가지고 있어야 한다는 것이다.[4]

이러한 알레고리의 특징인 다중성을 포착하는 데 유용한 문학적 장치는 '인격화'(impersonation)라 할 수 있다. 알레고리를 묘사하기 위해 사용되었을 때, '인격화'는 오늘날 그 용어의 대중적 의미와는 다른 대범함을 얻는다. 새로운 미국 옥스퍼드 사전은 '인격화'를 "유흥이나 사기의 목적으로 다른 사람 행세를 하는 행위"[5]로 정의하고 있으며, 옥스퍼드 사전은 '인격화'를 "사람을 속이거나 즐겁게 하도록 어떤 사람 행세를 하는 행위"[6]로 정의하고 있다. 또한 의인화(personification)에 대해 말하는 것은 알레고리에 대해 말하는 것을 의미한다. 이러한 언급에 대한 한 가지 이유는 알레고리로 간주하는 텍스트와 이미지들이 매우 자주 의인화를 포함하고 있기 때문이다. 의인화가 사용되는 곳에 알레고리가 생긴다. 이러한 이유로 문예사학자들은 인격화를 통한 알레고리 창조의 절차와 결과 모두를 나타내기 위해 "의인화 알레고리"라는

---

4 https://sites.google.com/site/encyclopediaofideas/literature-and-the-arts/allegory-in-literary-history

5 http://oxforddictionaries.com/us/definition/american_english/impersonation

6 https://www.oxfordlearnersdictionaries.com/definition/english/impersonation?q=impersonation

용어를 사용한다. 전통적으로 알레고리 연구는 특히 문학사학자인 '원문 학자들'(textual scholars)의 영역이다(Walter and Bart Web).

> 알레고리적 방법은 다른 것이 무엇인지에 개의치 않고 다른 어떤 것의 관점에서 본문을 해석하는 것을 의미한다. 그 다른 어떤 것은 책으로 배운 지식일 수도 있고, 실용적인 지혜일 수도 있고, 혹은 자신의 내면 의식이 될 수도 있다. 이 모든 것은 외부 상황에 달린 문제들이다. (Wolfson 134)

알레고리는 표면 텍스트 아래에 묻혀 있는 숨겨진 의미, 즉 추측이나 융통성을 내포하고 있고, 하나의 은유와는 달리 감각 경험의 세계에서 출발하여 추론을 향해 나아가는 경향이 있다. 은유는 보지만 알레고리는 생각하고, 따라서 종종 기하학적 추상화의 효과를 만들어낸다. 알레고리는 더 나아가 정교한 상징성과 의인화를 사용하여 매우 장식적이라 할 수 있다(Google Web).

사실 '알레고리'는 '모방'(mimesis)과 더불어 변덕스러운 용어이다. '모방'은 실제로 자연스럽고 물질적으로 진짜인 것을 '모방'한다. 이와는 대조적으로 알레고리는 주장하는 것처럼 보이는 것 이외의 것(다른 것)을 나타낸다. 모방적 표현에서는, 말하자면 윤곽을 인식할 수 있다고 가정하고, 자신이 보고 있는 것이 무엇인지를 알고 있지만, 알레고리적 표현에서는 이름이나 존재론적 수준이 항상 바뀌어야 한다. 알레고리로 우리는 기본적으로 초자연적인 것을 눈에 보이게 하는 표현 방식과 자연적인 것을 모방하는 방식, 이미 보이는 것을 모방하는 방식을 이해한다. 따라서 이 두 용어는 표현 방식과 표현 목적 모두를 가리킨다. 모방적 표현의 실천자들은 물질적 현실의 대상을 나타내는 반면, 알레고리주의자들은 그들이 진정으로 의미하는 바가 아닌 다른 것을 묘사한다. 그들의 대표 대상은 추상적이기 때문에(예를 들어 신앙이나 영혼) 또는 초자연적이고 세상에서 보이지 않기 때문에(천사, 악마) 또는 정치적으로 너무 위험해서 직접 표현할 수 없으므로 보통 보이지 않는다. 이러한 표현 대상의 특별한 구분은 16세기에서 19세기까지 극 중에서 알레고리와 모방에 유효하다(Brown 5-6).

16세기와 17세기의 기독교도적 전통에서 알레고리란 주요 인물과 동행하는 눈에 보이는 인물에게 도덕적, 윤리적 자질을 투영하는 것을 말한다(Brown 9). 17세기와 18세기에 보편적인 믿음의 구조들이 무너지면서, 설명의 일차적인 기준점은 우주보다는 개인에 초점이 맞춰졌다. 이 때문에 에른스트 로버트 쿠르티우스(Ernst Robert Curtius)는 알레고리적인 드라마를 신 중심적(theocentric)이라고 칭하고, 모방적인 드라마는 인간중심주의(anthropocentric)라고 칭했다(Brown 재인용 7). 또한 19세기 낭만주의 시인인 새뮤얼 콜리지(Samuel Taylor Coleridge)는 『잡학 비평』(*Miscellaneous Criticism* 1936)에서 "『신곡』은 도덕적, 정치적, 신학적 진리의 체계로서 자의적이고 개인적 예증을 하고 있지만, 내 생각에는, 알레고리적인 것은 아니다. 나는 지옥에서의 처벌이 엄격히 알레고리적이라는 확신도 들지 않는다. 나는 오히려 그것들이 단테의 마음에 유사-알레고리적(quasi-allegorical)이었거나, 순수한 알레고리(pure allegory)에 비유로 표현되었다고 받아들인다"(Coleridge 150)고 쓰고 있다.[7]

또한 알레고리는 다른 층의 의미를 통해 메시지를 전달하는 허구적인 이야기로 추상적인 사상과 원칙이 인물, 사건 등의 측면에서 묘사되는 화법으로 상징을 사용하지만 상징과는 다르다. 알레고리는 추상적인 생각이나 사건을 나타내는 인물과 사건들을 포함하는 완전한 서술이다. 반면 상징은 다른 물체를 상징하는 물체로, 특별한 의미를 부여한다. 알레고리와 달리 상징성은 이야기를 말해주지 않는다. 때때로, 알레고리적인 이야기 속의 상황들은 이러한 연관성을 명시적으로 언급하지 않고 역사나 현대 생활의 이야기들을 반영할 수도 있다.

예를 들어 이오시프 스탈린(Joseph Stalin)의 독재를 비판한 조지 오웰(George Orwell)의 대표작인 『동물농장』(*Animal Farm* 1945)은 영문학에서의 알레고리적 작품의 예로 많이 회자된다. 이 작품은 인간의 지배에 반감을 품은 동물들이 인간을 축출하고 자기들만의 나라를 세우지만, 그곳에서 다시 지배층과 피지배층의 분화가 일어나는 과정을 알레고리적으로 그린 중편소설이다. 나폴레옹(Napoleon)이라는 돼지가 러시아의 스탈린을 풍자한 독재자로 등장한다. 소설에서 알레고리를 사용함으로써 오웰은 러시아 혁명에 대한 자신의 태도를 분명히 밝히고 그 폐해를 폭로할 수 있게 된다.

---

7 『잡학 비평』에는 "존 번연(John Bunyan), 단테 알리기에리(Dante Alighieri), 에드먼드 스펜서(Edmund Spenser) 같은 주요 알레고리주의자에 대한 경의에 관한 것뿐만 아니라 프랑수아 라블레(François Rabelais), 로렌스 스턴(Lawrence Sterne), 다니엘 디포(Daniel Defoe) 같은 알레고리주의자라고 결정하기 어려운 작가들에 관해서 알레고리의 본질에 대한 논평이 간간이 섞여 있다. 콜리지의 '유사-알레고리적' 읽기는 에리히 아우어바흐(Erich Auerbach)의 『단테: 세속 세계의 시인』에 의해 확인되었다." (Princeton 재인용 10)

실제로 알레고리는 추상적인 것이 아니라 구체성으로 특징지어지는데, 그것은 때때로 충격적인 방법으로 아이디어를 구체화함으로써 이루어진다(Brown 6). 이런 의미에서 프란츠 카프카(Franz Kafka)와 베케트는 아마도 현대 최고의 알레고리적 작가일 것이다. 카프카의 작품은 두 세계를 혼란스럽게 함으로써 알레고리가 작용하며, 기괴하고 확실하지 않은 인물들 사이의 흐릿한 상호작용 속에서 수평을 유지한다. 또한 카프카는 작품의 등장인물을 보다 현실감 있는 상황에 처하게 하여 자신의 "특유의 지어낸 이야기로 사실주의와 알레고리의 혼합물"(Muir 42)을 만들어낸다. 베케트의 드라마는 "무대 관행이 반(反)관례적이거나 불합리한 곳에서도 흥미롭고 설득력 있는 등장인물들이 연극에 대한 관객들의 반응을 이끌어낸다"(Brown 3).

그리고 영화에서 알레고리적인 순간들은 "영화, 관객, 역사가 물리적인 공간의 전통적인 묘사로는 쉽게 설명되지 않는 형태의 지식을 생산하기 위해 경쟁하고 협력하는 복잡한 구현과정"(Lowenstein 2)이다. 각색된 많은 영화는 알레고리의 다양한 표현과 잠재성에 대한 다채로운 관점을 제공했고, 반면에 많은 논문은 알레고리가 존재함으로써 미치는 영향을 보다 밀접하고 제한된 용어로 탐구하려고 노력했다. 특히 사변 소설(Speculative fiction)[8]과 공상과학영화 속의 등장인물들, 특히

---

8 사변 소설은 현실세계에는 존재하지 않는 특정 요소들과 장르를 아우르는 광범위한 소설 범주로, 종종 초자연적, 미래적 또는 다른 상상적 주제의 맥락에서 나타난다. 여기에는 공상과학, 판타지, 공포, 슈퍼히어로 소설, 대체 역사, 유토피아 및 디스토피아 소설, 초자연적 소설, 그리고 이들의 조합(예: 과학 판타지)이 포함되지만 이에 국한되지는 않는다. https://en.wikipedia.org/wiki/Speculative_fiction

인간과 트랜스휴먼과 포스트휴먼의 혼재(混在)는 그들이 묘사하는 사회적 현실과 그들이 직면하는 문제들의 맥락에서 고려할 때, 개인 사회와 기술 발달 사이의 역동적이고 복잡한 관계의 탐구를 위한 대안적 표현 수단이자 알레고리적 재현이다. 그리고 그것은 과학적 이해와 혹은 새로운 기술의 변화가 기존의 규범적 도덕 및 사회적 관습에 영향을 미치는 방식을 반영한다. 또한 이러한 등장인물들은 트랜스휴머니즘과 포스트휴먼 이론의 출현과 초연결-융합형 증강인간의 존재 가능성을 둘러싼 일반화된 공포와 불안과 함께 현대 인간의 정체성의 위기에 대한 새로운 통찰력을 제공한다.

결과적으로 알레고리는 크고 복잡한 사상을 접근 가능한 방식으로 표현하기 위해 사용되는 문학 장치이자 "일관성 있는 모양을 유지하고 따라서 가독성을 유지하는 캐릭터를 제작하는 데 유용한 도구"(Lee 2)이다. 알레고리는 사회나 인간 본성에 관해 더 큰 측면을 나타내는 간단한 이야기로, 다른 등장인물들이 실제 인물을 나타낼 수도 있다. 등장인물들의 대사와 사건이 비록 비현실적이라 할지라도, 그것의 알레고리적 재현으로 인해 독자와 관객들이 인정하는 현실을 창조하여 연관시킬 충분한 가능성이 있다.

2. 19세기의 인간과 과학

셸리가 살았던 18세기 말에서 19세기 중반은 영국문학사에서 낭만주의와 빅토리아시대로 계몽주의의 많은 가치와 가정이 새롭게 정의되고 도전받고 배척되는 것을 겪고, 그 주된 관심사인 자유, 개인, 혁명, 민족주의, 자연, 역사, 인간의 정체성 등이 "현대 세계의 토대"를 형성했던 사상과 감수성 그리고 표현에서 심오한 변화가 일어났던 개혁의 시기였다. 이 시기의 학문은 20세기에 원형비평, 해체이론, 페미니즘, 프로이트 정신분석, 마르크스주의, 신역사주의, 현상학, 퀴어 이론, 기호학, 구조주의와 같은 일련의 이론, 방법론, 비판적 접근방식을 근본적으로 점차 변화하게 하였고, 특히 문학 연구에서 풍부한 새로운 통찰력과 관점을 생산하기 위해 여러 분야에 활용되었다.

21세기 초에는 계몽주의 시대와 낭만주의 시대의 관계(연속성/파괴성)와 예술작품 간에 그리고 예술과 지적이고 정치적인 맥락 사이에서 밀접한 상호작용에 점점 더 관심이 쏠리고 있다. 현재 우리의 관심은 낭만주의 시대의 중심적 관심사인 합리성의 한계와 경계를 초월하려는 충동이 마지막 "계몽주의 프로젝트의 실패"[9]를 목격한 것으로 보

---

9 계몽주의 프로젝트는 과학을 통해 인간의 곤경을 정의하고 설명하기 위한 시도일 뿐만 아니라, 사회기술의 활용을 통해 그것을 통달하기 위한 시도이다. 이사야 베를린(Isaiah Berlin)은 이 프로젝트를 다음과 같이 특징짓는다.

진보와 문명으로 이루어진 무리 전체에 다소 흔하지 않은 어떤 신념이 있었고, 이것이 그 신념을 하나의 운동이라고 말하는 것을 합당한 것으로 만드는 것이다. 사실상, 이것들은 세계, 즉 자연이 인간의 지성에 의해 발견될 수 있는 원칙적으로, 단일 집합의 법칙에 지배를 받는 하나의 완전체라는 확신이었고, 무생물을 지배하는 법칙은 원칙적으로 식물, 동물, 지각 있는 존재들을 지배하는 법칙들과 동일하다는 확신, 그리고 인간이 개선할 수 있다는 확신 … 결과적으로 인간의 행동을 지배했던 일반 법칙의 발견, 심리학, 사회학, 경제학, 정치학 등의 과학적 시스템에 대한 명확하고 논리적 통합, 그리고 (이 이름들을 사용하지 않았지만) 모든 발견을 다룬 지식의 거대한 말뭉치에서 적절한 위치를 결정하게 된다. 추측, 전통, 미신, 편견, 도그마, 환상, 그리고 지금까지 인간의 지식과 지혜로서 봉사했던

는 포스트모던 세계와 직접적인 관련이 있다는 믿음에 바탕을 두고 있다(Murray ix-xi).

영국문학사에서 19세기는 낭만주의와 빅토리아시대가 공존하는 시대였다. 오늘날 "빅토리아시대의 영향력이 19세기에 끝난 것은 아닌 듯싶고"(김성중 52) 낭만주의 시대의 문학은 아직도 우리와 함께하는 많은 이슈와 매혹의 기초를 제공하고 있다. 그중의 하나가 바로 메리 셸리의 소설인 『프랑켄슈타인』의 탄생, 즉 공상과학소설의 탄생이라 할 수 있다. 18세기 철학과 과학은 구체적이고 측정 가능한 물리적 현실에서 도출된 객관적이고 검증 가능한 진리를 주장해 왔으나, 그것들의 창조적 변혁에 관한 관심도 동시에 생겨났고, 정신은 활동적이고, 종합적이며, 역동적이고, 심지어 선견지명이 있는 힘의 원천이었다. 따라서 낭만주의 작가, 특히 시인들은 상상력 대 현실, 이성, 과학 또는 심지어 종교적 진실이라는 이항적인 관점에서 "상상"을 묘사했다.

그와 동시에 계몽주의의 합리주의가 배어 있는 『여성의 권리 옹호』 (*A Vindication of the Rights of Women* 1792)에서 메리 울스톤크래프트(Mary Wollstonecraft)는 "상상이 힘을 얻기 전에 이해력을 약화하도록 해서는 안 된다"고 경고하면서, 최고의 책은 "이해력을 발휘하고 상상력을 규제하는" 책들이라고 주장했다(Wolfson 119-120).

'관심 있는 오류'의 혼란스러운 혼합물을 대체함으로써—그리고 지금까지 가장 주된 보호자와 선동자는 교회였다—새롭고, 분별 있고, 이성적이며, 행복하고, 정의롭고, 자기 반복적인 인간사회를 창조할 수 있을 것이다. 그리고 그 사회는 성취할 수 있는 완벽함의 절정에 도달하면, 아마도 자연의 적대적인 영향들을 제외하고 모든 적대적 영향으로부터 스스로를 보존할 것이다. (https://link.springer.com/chapter/10.1007%2F978-94-017-3300-7_2)

또한 산업혁명으로 발전된 생산체제가 확산하고 완전히 안착하면서, 기계의 생산력이 증대되어 사람들은 물질적으로 부를 누리고 더 많은 자유를 부여받는 듯 보였지만, 인간은 노동력을 제공하는 하나의 생산요소에 지나지 않았고, 그들의 존엄성과 인간으로서의 존경은 무시되었다. 자유의 본질은 종속으로부터 해방이 아닌 인간성의 회복에 있고, 이는 존경으로부터 나온다. 따라서 사회비평가들은 기계와 같은 인간의 노동을 비판하고 인간과 기계를 비교하면서 사회문제를 다루게 된다. 우선, 존 러스킨(John Ruskin)은 『베니스의 돌』(*The Stones of Venice* 1851)에서 산업화 시대 노동자들의 분업을 "분업화되는 것은 노동이 아니라 인간"(162)이라며 베니스의 고딕건축 노동자들이 가졌던 노동의 자유와 비교해서 분업으로 인한 기계적 비인간성과 이로 인해 야기되는 예술적 열등성을 파헤쳤다.

그리고 존 스튜어트 밀(John Stuart Mill)은 『자유론』(*On Liberty* 1859)에서 인간의 생활을 완벽하게 하고 아름답게 하는 데 있어 올바르게 사용되는 인간의 일 중에서, 가장 중요한 것은 "분명히 인간 그 자신"이고, 더욱 문명화된 세상의 지역에서 살고 있고, 교회가 건립되어 "인간의 형태를 한 작은 로봇"인 기계류로 기도가 행해지는 것이 가능하다 할지라도 "인간의 본성은 모형에 따라 만들어져서 그것에 정해진 일을 정확하게 하도록 설정된 기계가 아니라 인간의 본성을 살아있는 것으로 만드는 내면적인 힘의 성향에 따라 모든 방향으로 성장해서 자신을 발전시킬 것을 요구하는 나무"라고 쓰고 있다(Mill 99). 또한 매슈 아널드(Matthew Arnold)는 『교양과 무질서』(*Culture and Anarchy* 1869)에서 우리는 자유에 대한 우리의 통상적인 생각과 담화 속에서 "기계류에 대한 숭배"를 보여주고 있고, 우리가 그 자체로 그리고 스스로 자유를 숭배하고 기계류에 있어 우리가 "미신적인 믿음을 갖는 무질서한 경향"이 분명해지고, 기계류에 대한 이러한 "맹목적인 믿음" 때문에, 모든 것이 무질서를 향한다고 주장하면서 인문주의적 지식의 필요성을 역설했다 (Arnold 83-84).

19세기에는 인간사회의 진보에 대한 관념이 유럽인들의 정신을 지배하고 있었고 인간 문명 또한 생명 세계에서 일어나는 진화의 연장으로 여겨졌다. 진화론을 인간사회로 확장한 사회 다윈주의는 허버트 스펜서(Herbert Spencer)가 주장하였는데, 더욱 고등한 인종이 열등한 인종을 지배하고 생존 경쟁에서 우위를 점하는 것이 자연스러운 것이라는 생각이 제국주의를 정당화하는 논리로 힘을 얻었다. 이러한 급진적인 산업화와 과학·기술의 발전 속에서 인간과 기계를 비교하면서 인간성 회복을 고민하던 시대가 낳은 셸리의『프랑켄슈타인』을 초연결-증강형 인간의 알레고리적 재현의 출발점으로 하는 것은 필연적일 수 있다.

『프랑켄슈타인』은 많은 독자가 과학 연구의 윤리적, 사회적 차원의 비판적 이해를 탐구할 기회를 제공해주고, 과학자들의 역할과 과학적 창조성과 책임 사이의 관계를 강조하는 작품이다. 또한『프랑켄슈타인』은 200년 동안 과학이 발전함에 따라 과학이론에 적합한 작품의 해석방법에 다양한 변화가 있었다. 따라서 셸리가 생존했던 18세기와 19세기의 인간과 과학, 특히 프랑켄슈타인 박사의 생물창조와 진화론에 영향을 준 지질학과 자연신학 그리고 생물학을 살펴보고자 한다.

과학사의 발전에 있어서, 개별적인 과학 분야의 역사는 엄청나게 중요한 역할을 했다. 특히 생물학은 18세기를 거쳐 19세기에 들어와서 진화론, 유전학, 근대적인 분류학이 성립하면서 근대과학의 면모를 갖추게 된다. 그중에서 진화론의 확립은 생물학 전체뿐만 아니라 사회사상에도 대단히 큰 영향을 미쳤다. 19세기 초까지 대부분의 사람은 종의 안정성과 불변성에 대한 믿음을 갖고 있었다. 하지만 탐험가와 국제 상인들의 기여로 이전에 알려지지 않았던 많은 종의 갑작스러운 출현으로 사람들은 자연현상에 대한 의문을 품게 되었고 식물학, 동물학, 지질학과 같은 자연사에 관한 연구가 확대되었다. 그리고 더 나아가 사람들은 인류 역사를 통틀어 일어나는 사건들을 의미 있는 것으로 보기 시작했고, 따라서 인간의 역사, 그리고 나아가 지구의 역사를 다르게 보기 시작했다. 다시 말해 인간의 문화 전체는 의미 있는 역사가 있었을 뿐만 아니라 자연도 마찬가지라는 역사의식이 형성되었고, 이것은 사람들이 세상을 바라보는 관점을 바꾸었다(Johns 106).

18세기를 통해 자연사의 한 부분이었던 지질학이 발달하면서 지층의 생성에 관한 이론의 출현으로 18세기 후반, 소수의 유럽 과학자들은 생명체가 고정되어 있지 않다고 조용히 제안하기 시작했다. 프랑스의 수학자 겸 자연주의자인 뷔퐁 백작 조르주 루이 르클레르(Buffon, Georges-Louis Leclerc, comte de)는 생물은 시간이 지남에 따라 변한다고 말했다. 그는 지구가 6000년보다 훨씬 더 오래되었을 것이라고 믿었고, 종은 세대에 걸쳐 변할 수 있다고 주장했지만, 종들이 다른 종으로 진화할 수 있다는 생각을 공개적으로 거부했다. 생물과학에 대한 뷔퐁의 매우 중요한 공헌 중 하나는 자연현상을 신학적 교리가 아닌 자연법칙에 의해 설명한 것이다. 반면에 조르주 퀴비에(Georges Cuvier)는 그 당시 다른 대부분의 선도적인 과학자들처럼, 대홍수와 주요 산줄기의 급속한 형성과 같은 폭력적이고 갑작스러운 자연재해가 발생했다는 이론을 옹호했다. 그에 따르면, 그러한 재해가 일어난 지역의 식물과 동물들은 종종 죽임을 당했고, 그 후 새로운 생명체들이 다른 지역에서 이주했다는 것이다. 그 결과, 한 지역의 화석 기록은 종의 급격한 변화를 보여준다는 퀴비에의 설명은 성경적 해석보다는 과학적 증거에만 의존했다는 사실이 주목된다.

그러나 19세기 초 영국의 변호사 겸 지질학자 찰스 리엘(Charles Lyell)은 유럽의 지질학적 퇴적물에 대한 면밀한 조사를 통해 퀴비에의 대재앙 이론이 틀렸다는 결론을 내렸다. 리엘은 『지질학의 원리』(*Principles of Geology* 1830-1833) 시리즈에서 지질학에 관한 긴 역사적 서론을 개진하며 "과학의 발전을 방해했던 종교, 철학적 추측, 의인화된 세계관을 지적하고"(Capel Web), 지구가 매우 오래되었을 것이며, 지구가 오늘날 땅을 형성하는 데 작용하는 침식, 지진, 빙하 이동, 화산, 심지어 동식물의 분해와 같은 종류의 자연적 과정을 거쳤다는 사실을 문서로 만들었다. 또한 리엘은 18세기 후반 스코틀랜드 지질학자 제임스 허튼(James Hutton)의 "화성론"(Plutonic theory)에 대한 결정적인 증거를 제공했다. 이것은 현재 지구 표면의 모양을 바꾸는 자연적인 힘이 과거에 거의 같은 방식으로 작용해왔다는 것을 수용했다.

> 허튼은 오래전부터 육지가 존재했으며 이 육지가 침식에 의해서 깎이고 이 물질들이 바다에 침전한 다음에 지구의 열을 받아 단단해져서 암석층이 형성되었다고 설명했다. 그리고 이 암석층은 그대로 있는 것이 아니라 지구내부의 열과 압력에 의해서 융기하

고, 이동하고, 변형되는데, 이러한 과정을 통해서 현재의 지구가 형성되었다는 '화성론'을 주장했고, 설득력 있는 것으로 인정되어 학자들 사이에서 널리 받아들이면서 이 지질학적인 아주 긴 시간은 생물체에도 적용 가능한 것으로 생각되었다. 그 결과 화성론은 생물체가 갑자기 창조된 것이 아니라 긴 시간을 통해서 점점 변화되었다는 진화의 관념이 형성되는 데 기여하게 되었다. (이필렬, 백영경 106)

과거를 이해하는 열쇠는 현재라는 이 혁명적인 사상은 찰스 다윈 (Charles Robert Darwin)을 1830년대에 생물학적 진화에 대한 이해로 이끄는 데 중요한 역할을 했고, 생물학적 진화의 속도와 방향에 잠재적으로 영향을 미쳤다(O'Neil Web[10]). 심지어 많은 보수주의자조차 창세기에 대한 문자 그대로의 독서를 포기하고 새로운 과학적 발견을 수용하기 시작했다. 19세기 중반 경건함, 위신, 끈기가 깃들면서, 지질학의 새로운 전문가들은 지질학의 독자적인 권위와 창세기 해석의 권위를 확보했다(Rudwick 340).

또한 지질학은 19세기 초에 사상과 감정에 혁명을 일으켰다. 그 영향은 과학계를 훨씬 넘어 퍼져가면서 기성 진리를 파괴하고, 일반 남녀에게 자신들, 그리고 시간과 역사라고 생각했던 모든 것이 지구 존재의 수백만 년 동안 상상조차 할 수 없는 한낱 허상에 지나지 않는다는 사실을 깨닫게 했다. 이러한 마음가짐으로 인해, 많은 사람은 그들의

---

10 https://www2.palomar.edu/anthro/evolve/evolve_1.htm

종교적인 믿음이 점점 쇠퇴해져 가는 것을 발견했다. 기원전 4004년 10월 23일로 세계 창조의 날짜를 고친 제임스 어셔(James Ussher) 대주교와 같이, 성경에 근거한 지구 연대의 추정은 이제 터무니없이 불충분해 보였다(Carey 71). 비록 영국의 과학자들이 대부분 굳은 신앙심을 갖고 있었지만, 자신들의 과학적 발견이 기존 신앙에 파괴적인 충격을 준 것 같았다.

1851년 존 러스킨은 자신의 신앙에 "연약함"(flimsiness)을 개탄하면서 "지질학자들이 나를 가만히 놓아두기만 한다면, 나는 아무 탈 없이 잘 지낼 수 있겠는데, 저 무서운 망치 소리! 성서 구절이 끝날 때마다 내 귀에는 쾅쾅 내리치는 저 망치 소리가 들린다"(Carey 재인용 71)라고 외치기도 했다. 결과적으로 지질학은 "지구의 역사를 수백만 년 전으로 확장함으로써 시간상으로 인간의 위치를 왜소하게 만들었다"(Greenblatt 987). 존 틴들(John Tindall)은 1874년 벨파스트에서 행한 한 연설에서 18세기에 인간은 "구약성서의 연표"에 대해 흔들리지 않는 믿음을 가졌었지만, 빅토리아시대에 인간은 다음과 같은 생각에 익숙해지지 않으면 안 된다고 주장했다.

> 6000년이 아니라, 6만 년이 아니라, 600만 년이 아니라, 말로 다할 수 없는 수백만 년을 포함한 영겁의 세월에 걸쳐 이 지구는 삶과 죽음의 무대였다. 캄브리아기 아래에 생성된 깊이로부터 오늘날 바다 밑에 두껍게 퇴적된 것에 이르기까지 암석의 수수께끼가 지질학자와 고생물 학자에 의해 해독되기에 이르렀다. 그리고 암석이라는 서적의 갈피 마다마다에 … 글자들은 역사의 잉크로 쓰

인 글자보다 더 분명하고 더 확실하게 새겨져 있어, 인간의 마음을 까마득한 과거의 심연으로 데려간다. (Greenblatt 재인용 987)

　이러한 역사의식의 변화 속에서 다윈은 지질학자와 고생물학자의 기록에 기초하여 자신의 이론을 발전시켰다. 가장 유력한 이유는 19세기 중후반 지질학의 상태와 관련이 있다. 이 초기 과학은 석탄을 운반하는 데 중요한 영국 전역의 운하 건설과 같이 순수한 목적뿐만 아니라 응용 목적에도 유용한 연속된 화석에 기초하여 암석의 층을 측정하고, 명명하는 방법을 제공했다. 그것은 과학자들이 지구가 6일 동안 이루어진 성경의 창조신화보다 훨씬 오래되었다는 것을 논쟁하고 받아들일 수 있게 했다. 고대 지구를 둘러싼 지질학의 새로운 주장과 달리, 생물학은 19세기 초 프랑스의 생물학자 장바티스트 라마르크(Jean-Baptiste Lamarck)를 제외하고 다윈보다 먼저 강력한 증거나 진화의 이론적 틀을 제시하지 못했다. 따라서 19세기 지질학은 19세기 생물학과는 달리, 그 새로운 이론적 틀에 대한 강력한 뒷받침을 제공할 수 있다(Mortenson 98-115, 132-142).

　또 다른 인식의 변화는 서구 세계의 대부분 과학자와 주요 종교들이 오래전부터 과학을 자연과 인간성에 대한 그들의 이해에 접목해왔던 자연신학 분야이다. 자연신학은 18, 19세기에 영국을 중심으로 생물의 적응이라는 문제를 활발하게 연구하면서 진화 관념의 형성에 기여하게 된다. 18세기에 진화에 대한 발상은 베네딕트회 수사인 돈 칼무트(Don Calmut)에게 처음 떠올랐던 것 같다. 15세기 후반 유럽인에 의해 시작된 발견과 탐험의 항해와 함께 세계적으로 점점 더 많은 종의 종들이 알려졌고, 발견되고 있었던 거대한 생물의 다양성 앞에서, "노아의 방주의 제한된 용량은 그를 자극하여 생물 분류상 한 속(屬)의 모든 종이 원래 하나의 종을 형성했음을 암시하게 되었다. 본질적으로 이 견해는 적어도 구체적인 수준에서 진화에 관한 생각을 나타냈다"(Heatwole 9). 이제 종교는 살아있는 생명체에서 신의 신성한 계획과 설계(design)를 찾기 시작했다. 자연신학은 조화로운 구성을 찾는 과학의 자연 질서에 대한 이상을 낳았다.

17세기 말 존 레이(John Ray)와 같은 자연사학자들은 모든 것을 자기 창조자의 지혜와 선함을 보여주는 것, 즉 인류의 이익을 위해 창조된 것으로 여기기 시작했다. 마찬가지로, 그들은 신체와 그들의 환경에서 유기체 구조를 효율적으로 기능하는 것이 설계자(designer)의 결과일 수 있다고 주장했다. 그리고 신의 설계에 대한 믿음은 많은 과학적 연구를 이끌었다. 의학 연구와 현미경은 인간과 동물의 해부학에서 유기적 구조의 복잡성을 밝혀내고 따라서 신의 독창성을 밝혀내는 데 도움을 주었다. 이처럼 자연신학은 과학의 지침이 되었다. 이론의 구체적 내용이 아니라, 신의 설계를 제안하는 더 많은 패턴을 찾으려는 동기부여가 되었다.

자연신학은 기독교인들이 고대 그리스인들로부터 채택한 주장인 신의 존재를 증명하기 위한 신의 "설계로부터 나온 주장"에서 절정에 달했고, 1802년 3월에 자연신학에서 추구했던 것이 무엇인가를 가장 잘 보여주는 윌리엄 페일리(William Paley)의 시계와 시계공의 관계를 자연과 신의 관계와 대비시킨 유비 관계로 유명해졌다. 핵심 직관은 간단했다. 우리가 시계를 보면 그것을 만든 시계공이 있음을 알 수 있듯이 자연을 보면 그것을 창조한 신이 반드시 존재한다는 것을 알 수 있다는 것이다. 페일리는 여러 개의 톱니바퀴가 질서정연하게 맞물려 돌아가는 시계 장치로서 우주의 그림을 사용했던 로버트 보일(Robert Boyle)로부터 이러한 유추를 적용했다. 인간의 눈과 우리 몸의 나머지 부분은 아름답게 조화를 이루고, 동물과 식물은 그들의 서식지에 세심하게 적응하는 것은 신의 섭리를 증명한다. 사실, 모든 우주가 질서가 있고, 질서가 있다면, 그것을 책임지는 지성이 있어야 한다. "최고의 장인"(the supreme craftsman)인 하나님을 제외하고 어떤 설명이 가능하겠냐는 물음과 함께 페일리는 어떤 목적에 현상을 적응시키는 데 지능적인 설계자가 필요하다고 주장함으로써 현상을 설명할 법과 우연성만을 혼합하여 사용하는 유물론자 및 기계론자의 철학을 공격하고 있었다(Johns 106-107).

한편, 다윈은 케임브리지에 입학했을 당시 페일리의 자연신학을 읽고 자연 속에서 신의 "설계"에 대한 그의 사상과 "최종 인과관계"를 받아들였다(Johns 116). 다윈은 페일리의 자연신학보다 더 존경할 만한 책은 거의 없고 거의 외워서 말할 수 있다고 말했다. 페일리로부터, 다윈은 유기체의 모든 세부 사항에는 그 존재에 대한 어떤 용도나 가치가 있어야 한다는 관점을 발전시켰다. 이러한 과정에서 다윈의 과학은 신앙은 아니더라도 기독교와 신념을 거부하게 한 요인 중 하나라는 점에서 그의 종교에 영향을 미쳤고 그의 종교사상은 그의 과학에 영향을 미치면서 자연신학은 결국 다윈의 이론 형성에 영향을 주었다(Johns 120).

자연신학자들은 생물이 적응 메커니즘을 갖게 된 것은 신이 생물체를 적응할 수 있는 능력을 갖도록 자비롭게 창조한 결과라고 생각하여 그들은 생물체의 환경적응이라는 예를 통해 신의 자비를 보여주기 위해 그와 관련된 많은 자료를 수집하고 연구했다. 따라서 이러한 자료들과 연구 결과가 진화 관념이 형성되는 데 기여를 했고, 자연신학자들의 생각에서 더 나아가서 다른 학자들이 생물의 환경적응은 신의 자비에 의한 것이 아니라 자연적인 과정에 의한 것이라고 생각하면서 진화라는 생각이 도출되었다(이필렬, 백영경 107).

다윈 자신은 아직 증명되지 않은 이론을 진전시키고 있다는 것과 과학적인 반론이 제기될 수 있다는 것을 알고 있었다. 그리고 다윈이 염려했듯이 『종의 기원』(*The Origins of Species* 1859)은 출판되자마자 신학자들의 매우 커다란 반발에 부딪혔고, 봇물처럼 터져 나오는 논쟁은 불가피했다. 다윈은 충돌을 피하기 위해 "인간의 기원이라는 미묘한 문제에 대해서는 언급을 하지 않았다. 또한 그의 이론이 원칙적으로 기독교에 반하는 것이 아니라고 주장했다. 그는 원래부터 자연신학자들은 자연법칙을 신의 섭리의 표현으로 보지 않았느냐고 반문하면서, 자연선택에서도 신의 섭리를 발견"(이필렬, 백영경 112-123) 할 수 있다고 암시하였다.

다윈은 또한 자신의 이론이 그의 시대의 모든 증거와 일치하지 않는다는 것도 알고 있었다. 예를 들어 화석 기록은 스케치한 것처럼 매우 개략적이어서 어떠한 확실한 과도기적 형태도 드러내지 않았다. 다윈의 이론은 자명하게 옳지도 않고 이용 가능한 자료로부터 직접 증명할 수도 없었지만, 그의 업적은 방대한 범위의 생물학적 데이터에 일관성을 주입하는 데 사용될 수 있다는 것이었다(Johns 120). 생물학은 종교와 관련이 있고 그것은 우리가 누구이고 어디에서 왔는지에 대한 가장 중요한 문제를 제기했다. 다윈의 이론이 코페르니쿠스의 이론보다 과학에 즉각적인 영향을 훨씬 덜 미침에도 불구하고 사회에 엄청난 충격을 주었다. 진화론이 옳건 옳지 않든 간에, 그 당시 인식은 인간을 자연 속에 존재하는 자연의 일부분으로 보았기 때문에 인간의 문제, 즉 인간의 특성·기원·운명에 관해 아주 새로운 생각을 하게 만들었다.

또한, 진화론은 종교계와 대중들에게 큰 반향을 일으켰고 과학과는 상관없는 대중에 의해 여러 가지로 해석되었다. 진화를 진보와 같은 것으로 생각하는 사람들도 있었지만, 대부분 독자는 다윈의 자연도태설이 성서에 근거한 창조개념과 상충하는 것은 물론이고 이 세상에서 인간의 특별한 역할에 오래전부터 가치를 부여해 오던 관례와도 맞지 않음을 인식했다. 토머스 헨리 헉슬리(Thomas Henry Huxley)와 허버트 스펜서는 각각 다윈의 실제 이론에 대해 의구심이 들고 있었지만, 그의 노선을 따라 어떤 자연주의적인 생명 이론이 우세할 것이라고 확신했다(Johns 129). 또한, 생물학적 현상에 대한 자연주의적 접근이 신성한 설계에 대한 대안을 제시했을 때 무신론과 불신론은 큰 힘을 얻었다.

생물학자들이 자연선택설을 받아들이는 데는 시간이 걸렸지만,『종의 기원』은 생물학자들 대부분을 진화론자로 만드는 데 기여했고, 생명체의 변화를 설명하기 위해, 특히 생물체가 신의 설계로 창조되었다는 믿음을 더 이상 필요 없게 만들었다. 결과적으로 다윈 이후에 종교적인 관점을 거부하는 것은 훨씬 쉬워졌고, 종교인들 사이에서도 과학이론에 대한 종교적 정당성을 제공할 필요성은 더 이상 인식되지 않았다. 19세기 후반에 종교와 과학의 영역은 모든 영역에서 뚜렷해졌고 자연에 대한 종교적·과학적 우려는 이제 구별되는 것으로 여겨졌다. 과학은 사물이 '어떻게' 작용하느냐의 문제였고 종교는 '왜'의 문제였다. 기독교 사상가들은 더 이상 개신교나 가톨릭 어느 나라에서도 진화론의 채택을 막을 힘을 갖지 못했다. 성서 사상이 생물학적 사고의 내용에 미치는 영향의 시대가 끝나가고 있었다(Johns 138).

더 나아가 다윈의 진화이론과 멘델의 유전법칙으로 이제 생물학마저 기계론적 과학의 지배 아래 들어가게 되었다. 이러한 이론들로 인해 생물학은 인간을 더욱 "허무한 존재"(nothingness, Greenblatt 987)로 축소하고, 빅토리아시대 사람들에게 "무한한 소외감"(infinitely isolated, Greenblatt 987)을 주었다. 이 새로운 경향의 기계론적 과학에 대한 반발의 목소리가 커지면서 18, 19세기에 낭만주의와 독일의 자연철학이 등장하여 기계론적으로 자연을 들여다보는 것으로부터 자연 전체가 하나의 유기체이고 이 유기체가 서로 연관관계를 맺고 움직인다고 하는 자연관으로 회귀하려는 움직임이 나타났다.

근대과학의 발전과정에서, 17세기 말과 18세기 초에 일어난 사회, 철학, 방법론적 혁신을 이끌어낸 것이 다른 어떤 단일 요소보다는 기술 향상에 관한 관심이었던 것 같다. 이러한 관심이 19세기 말에 기술과 결합하기 시작함으로써 과학은 자연을 인간에게 완벽하게 굴복시킬 채비를 하게 된다. 미국 국립과학원과 재료과학공학조사위원회(National Academy of Sciences (U.S.) & Committee on the Survey of Materials Science and Engineering)가 제공한 보고서에 따르면, 18세기와 19세기 동안의 재료 과학과 재료 공학에서의 발전은 "과학기술"이라는 이름을 붙인 새롭고 유익한 관계의 궁극적인 출현을 암시하는 것을 볼 수 있다. 19세기 과학과 기술의 밀접한 관계를 보여주는 전형적인 예는 열역학과 전기였다. 전자의 경우, 기술은 과학에 문제를 제시했고 후자의 경우 과학은 기술의 잠재력을 제시하였다(27-29). 그러나 이러한 단순한 연관성 외에, 과학과 기술 사이의 관습적인 관계, 상호작용과 반응들은 무엇이었을까?

19세기에 과학자들과 기술자들의 교류가 서서히 활기를 띠어갔다. 과학자들은 자신의 연구 결과를 기술에 응용할 가능성을 탐색하기 시작했고, 기술자들은 과학의 방법이나 지식을 기술 혁신에 이용하려 했다. 기계를 제작하는 과정에서 이전에는 장인들이 제작했고, 그들의 제작방식은 경험적인 방식에 기초한 것이었다. 기계를 조립하는 최종 단계는 장인들이 하지만 기계를 설계하고 분석하고 성능을 테스트하는 것은 기술자들이 한다. 설계에서부터 많은 과학적인 기술과 수학적인 계산이 들어간다. 이 과정에서 수학과 물리학이 집중적으로 녹아 들어가 있는데 이것이 바로 기술 분야에 과학적인 방법이 도입된 결과이다. 그것이 19세기 중엽이나 말부터 시작되었고 시굴 분야에서도 과학에서 수행되는 연구가 수행되기 시작한다.

과학과 기술의 이러한 결합은 실험을 통해 자연을 조작하는 특성이 있는 근대과학의 속성상 불가피한 것이었다. 근대과학은 자연을 관찰하기만 하지는 않는다. 자연을 관찰하고 실험실에서 자연을 실험한다. 그런데 실험을 한다는 것은 조작을 한다는 것과 마찬가지이다. 결국은 자연을 조작하고 그것으로부터 어떤 결과를 얻어내는 실험, 그것이 기술의 활동과 상당히 유사한 면이 있어서 과학과 기술의 결합은 근대과학기술의 특성상 불가피한 것이다. 근대과학이 기술과 다름없다는 것은 현재 모든 과학에서 행해지는 실험에서 뚜렷하게 드러난다. 아니 실험을 바로 기술로 볼 수 있으므로, 근대과학은 기술을 포함하고 있고 이 기술의 뒷받침 없이는 존재할 수 없다고 해야 할 것이다(이필렬, 백영경 117-118).

이전에 아리스토텔레스의 과학, 특히 그의 생물학은 관찰이 핵심이었다. 아리스토텔레스의 생물학적 저작물은 "그의 생존 시 말뭉치의 25% 이상을 차지"(Gotthelf 372)하는데, "훌륭하고 민감한 관찰자로서 아리스토텔레스"(Gotthelf 374)의 생물학은 관찰하고 그 관찰한 것을 서술하고 해석하고 하는 것이 핵심이었다. 반면에 근대과학은 실험이 핵심이라고 할 수 있고, 모든 과학은 실험을 한다. 그러므로 과학이 기술에 응용되고 더 나아가서 현시점에서 과학과 기술이 구분되지 않는 활동으로 변화한 것은 불가피한 일이다. 이러한 현상이 현대에 들어와서야 두드러지게 나타난 것은 근대과학이 성립한 지 2세기가 지난 지금 과학 지식이 크게 축적되어 전반적인 현상이 되었기 때문이다. 이제 과학은 기술과 구분되기 어려운 것이 되었고, 모든 과학적 발견은 기술적 응용에 속박된다는 것이 분명해짐으로써 유럽에서 탄생한 근대과학이 인간과 자연을 마음대로 조작할 수 있는 물적인 조건이 갖추어지게 되었다.

낭만주의와 독일의 자연철학 그리고 자연을 유기체적인 것으로 보는 신과학은 모두 자연에 다시 '생명'을 불어넣으려 한다는 공통점이 있다. 하지만 낭만주의와 자연철학은 자연을 대하는 인간의 정신적 피폐에 대한 우려에서 나온 것이지만, 신과학은 생태 위기로 인한 인간의 사멸 가능성을 앞에 두고 나온 것이라는 점에서 중요한 차이가 있다.

자연철학이 나왔을 때의 유럽은 진보에 대한 신념으로 차 있었다. 그러나 21세기 초연결 시대에는 진보에 대한 회의의 목소리가 점차 커가는 추세이다. 이러한 회의 속에서도 인공생명, 생명공학, 나노기술, 컴퓨터 정보통신기술 등의 첨단 과학기술들은 계속해서 자기 증식을 해나갈 것이고, 자본과 결합하여 경제적·사회적으로 엄청난 영향력을 발휘할 것이다. 그러므로 21세기의 과학은 20세기의 중앙 집중적이고 기계론적인 거대과학과는 달리, 분산적이면서도 전체적으로는 아주 커다란 형태를 지닌 위협적인 첨단의 기술이 될 가능성도 크다. 그러나 이러한 첨단기술들이 현재의 생태 위기를 해결하지 못하는 한, 현존과학을 대신할 새로운 과학에 대한 갈구도 커질 것이다.

　이러한 사회적·과학적 배경 속에서 창작된 셸리의 『프랑켄슈타인』을 초연결-증강형 인간의 알레고리적 재현의 출발점으로 하는 것은 타당성이 있다. 20세기의 매우 영향력 있는 영국 작가 중 하나인 길버트 체스터턴(Gilbert Keith Chesterton)에 따르면 "『일리아드』는 모든 삶이 전투여서 단지 위대하고, 『오디세이』는 모든 삶이 여정이어서 위대하듯이, 모든 위대한 문학은 늘 알레고리적, 즉 전 우주의 어떤 관점에 대해서 늘 알레고리적이었다"(43). 그의 주장은 이 두 작품이 시대의 역사적·문화적 배경에 따라 다양하게 해석되고, 개별 독자마다 다른 해석의 가능성을 제시하기 때문이다. 마찬가지로 『프랑켄슈타인』 역시 시대와 분야에 따라 다양한 알레고리적 해석이 가능해서 위대하고 할 수 있다.

3. 트랜스휴머니즘과 미래인간

트랜스휴머니즘은 최근 널리 인기를 얻고 있는 의사 과학(pseudo-scientific) 운동으로, 인간과 기계를 융합하여 불멸을 달성하려는 궁극적인 목적으로 인간의 신체적, 심리적 본질을 완벽히 하는 것을 목표로 한다. 간단히 말해서, 트랜스휴머니즘은 현대 과학의 모든 진보를 인간의 잠재력을 증강하기 위해, 그리고 궁극적으로 불멸을 성취하기 위해 이용하려는 탐구이다(Livingstone 5).

19세기에 유물론과 진화론 등이 대두되면서 인간은 자유롭고 주체적인 의식을 지닌 유일한 존재로서 그 우월적 지위[11]에 대한 확신이 흔들리기도 했지만, 실제 삶 속에서 인간이 아닌 존재가 인간의 우월성을 크게 위협할 수 있는 상황이 나타나지는 않았다. 그런데 20세기 이후 고유의 인간성을 인정했던 관점은 과학기술의 비약적 발전에 따라 근본적인 문제에 직면하게 되었다. 기계 장치의 이식이나 유전자 조작으로 강화된 능력을 소유하고 있는 새로운 존재, 소위 '트랜스휴먼'이 등장하면서 고유의 인간성에 대한 의문이 제기되기 시작한 것이다. 이미 인공 팔과 인공 망막 등이 신체에 이식되고 있으며, 앞으로 인공지능의 개발로 생각할 수 있는 컴퓨터가 등장하고, 더 나아가 기계 인간인 사이보그가 등장하리라 예상된다. 이에 따라 인간과 인간이 아닌 것의 경계가

---

11 데카르트는 동물과 인간의 몸은 유사하지만, 동물과 달리 인간에게는 영혼이 존재하며 생각할 수 있는 능력이 있다고 보았다. 그는 이렇게 정신과 육체를 분리함으로써 동물과 인간을 구분 지을 수 있다고 본 것이다. 이러한 관점에서 인간은 자유롭고 주체적인 의식을 지닌 유일한 존재로서 그 우월적 지위에 대한 확신을 가질 수 있었다.

흐릿해지고, 이제 인간은 자신의 영역 안으로 깊숙이 들어오고 있는 트랜스휴먼의 존재를 부정하거나 무시할 수 없는 현실을 맞게 된 것이다.

저스틴 존스턴(Justin Johnston, *The Prosthetic Novel and Post-human Bodies* 2012), 마커드 스미스와 조앤 모라(Marquard Smith and Joanne Morra, *The Prosthetic Impulse: From a Posthuman Present to a Biocultural Future* 2006)와 같은 트랜스휴머니즘의 비판에 관한 다수의 해설가는 트랜스휴먼에 대한 논의에서 인공기관(의족, 의수, 달팽이관 삽입물 등 생체공학적인 대체물)을 의미심장하다고 인정한다. 그러나 피트 무어(Pete Moore)와 존 해리스(John Harris)는 이에 동의하지 않는다. 무어는 강화나 증강을 통해 개인은 "다른 사람은 할 수 없는 일을 할 수 있다"거나 "대부분 인간에게는 불가능할 것"(Moor xi)을 성취할 수 있다고 제안한다. 마찬가지로, 그러나 보다 일반적인 접근방식에서 해리스는 현재 상황에 있는 향상은 "우리를 더 나은 사람으로 만드는" 능력이 있는 경우에만 그렇게 정의될 수 있다고 주장한다(2). 본 글은 초연결-융합형 증강인간의 관점에서, 무어와 해리스의 주장에 따라, 트랜스휴머니즘을 주로 향상, 즉 증강과 관련된 것으로 여긴다.

무어와 해리스와 같은 비평가들이 인류의 향상을 위해 근본적으로 고안된 것으로 트랜스휴머니즘을 옹호하지만, 관점들은 분열되어 있다. 이 트랜스휴머니즘 운동을 지지하는 사람들은 과학기술의 발전이 필연적으로 특이점, 그리고 세계 경제, 사회, 문화, 환경적 관심의 축소로 이어질 것이라고 믿는다. 일레인 그레이엄은 트랜스휴머니즘을 호의적으로 바라보는 개인들은 그것이 불가피하게 "스마트 약물, 인공기관, 유전자 변형, 컴퓨터 보조 통신의 도움을 받는 테크노 과학 유토피아"

(154)의 창조를 이끌 것이라 믿고 있다고 주장한다. 프랜시스 후쿠야마와 같은 트랜스휴머니즘 운동 반대론자들은 그것이 "세계에서 가장 위험한 생각"(Web)이라고 주장한다. 그레이엄에 따르면, 트랜스휴머니즘의 반대론자들은 그것을 자연 질서의 변태로 인식하고 있으며, 인류를 돕는 대신 기술적 발전은 "이질화와 탈인간화, 즉 인류의 정신적인 본질의 침식을 가져올 것"(2)이라고 주장한다.

후쿠야마는 트랜스휴머니즘은 특히 그 생각에 반대하거나 자발적인 증강을 원하지 않는 사람들을 위해 유전자 조작을 받고 태어난 사람(gene-rich)과 그렇지 않은(gene-arm) 사람들 사이의 엄청난 불평등을 초래하여 정치적, 도덕적, 경제적 우려의 증가를 가져올 것이라고 주장한다(155-160). 더욱 극단적인 진술에서, 조지 아나스(George J. Annas), 로리 앤드루스(Lori B. Andrews), 로사리오 이사시(Rosario M. Isasi)는 트랜스휴먼이 존재하게 되면, 그들은 아마도 보통 인간들을 폭력적이고, 무지하고, 계몽되지 않아 미개한 야만인으로 인식하여 단지 "노예나 살육에 적합하게 될 것"(162)이라고 주장한다.

또한 주로 철학적, 종교적, 역사적 문서에 기초하여, 트랜스휴머니즘은 데이비드 리빙스턴(David Livingston)의 『트랜스휴머니즘: 위험한 생각의 역사』(*Transhumanism: The History of a Dangerous Idea* 2015)에서 또 다른 혹독한 비판과 반대가 관찰된다. 그에 따르면,

> 트랜스휴머니즘은 20세기 초 록펠러 재단의 후원으로 번성했던 사회다윈주의와 우생학에서 파생된 인간의 완벽성에 대한 위험한 믿음의 연장선에 있는 것으로 나치 정권의 참상을 통해 악명을 떨

치기 전이다. 제2차 세계대전 이후 이러한 관행이 미국으로 수입되자, 이른바 인구 억제책의 선진화된 방법을 추구했던 사이버네틱스(cybernetics)라고 알려진 것에 관한 연구는 개인용 컴퓨터의 개발, 그리고 올더스 헉슬리의『멋진 신세계』의 청사진을 따라 사회를 변혁하려는 노력의 하나로 환각제의 확산을 촉진한 MK-Ultra로 알려진 은밀한 CIA "마인드 컨트롤" 프로젝트의 두 가지 방향으로 진화하였다. (6)

우선 MK-울트라(MK-Ultra)[12]의 전제와 가장 밀접하게 일치하는

---

12 미국 총무성은 1994년 9월 28일 보고서를 발표했는데, 이 보고서는 1940년에서 1974년 사이에 DOD를 비롯한 국가 안보 기관들이 위험 물질과 관련된 실험과 실험에서 수십만 명의 인간 대상자를 연구했다고 밝혔다. 본 연구의 인용문은 다음과 같다.

… 중앙정보국(CIA)과 협력하여 국방부는 1950년대와 1960년대에 수천 명의 '자원봉사자' 병사들에게 환각제를 투여했다. 육군은 LSD 외에도 암호명 BZ인 환각제인 퀴니클리드비닐 벤츠실체를 실험했다. (주 37) 이러한 시험의 많은 부분은 세뇌 기술에 있어서 소련과 중국의 진보에 대항하기 위해 설립된 소위 MKULTRA 프로그램에 따라 수행되었다. 1953년과 1964년 사이에 프로그램은 149개의 프로젝트로 구성되었고, 약물 테스트와 자신도 모르는 인간 주제에 관한 다른 연구들로 구성되었다. (https://www.cs.mcgill.ca/~rwest/wikispeedia/wpcd/wp/p/Project_MKULTRA.htm)

보고서의 구체적인 실험 내용은 다음과 같다.
1. 행동 약물 및/또는 알코올의 영향에 관한 연구: 14개의 하위 프로젝트에는 분명 인간 자원봉사자에 대한 테스트가 포함된다. 19개의 하위 프로젝트에는 아마도 인간 자원봉사자들에 대한 테스트가 포함되어 있을 것이다. 자신도 모르는 주제에 대한 시험을 포함하는 6개의 하위 프로젝트.
2. 최면술에 관한 연구: 최면술과 약물을 조합하여 포함.
3. 화학물질이나 약물의 취득.
4. 은밀한 수술에 유용한 마술사의 기술 측면: 예) 약물 관련 물질의 은밀한 물질.
5. 심리치료 중 인간의 행동, 수면연구, 행동변화에 관한 연구.

'마인드 확장'(mind-expanding) 약물의 사용은 우리의 의식을 확장하는 데 도움을 줄 수 있다는 전제를 달고, 트랜스휴머니즘의 궁극적인 목적을 돕는다. 이러한 예로 영화 〈루시〉(Lucy 2014)[13]의 제목 출처는 약 320만 년 전 살았던 초기 인간 '오스트랄로피테쿠스'의 화석에 붙여진 이름인 '루시'를 지칭한 것으로 풀이된다(Livingstone 5). 영화는 '루시'가 최초의 '트랜스휴먼'이 되어 새로운 이브처럼 될 것이라고 넌지시 말하고 있다. 그리고 영화 제목 선택과 관련된 단서가 하나 더 있다. 비틀스(Beatles)의 노래 〈Lucy in the Sky with Diamonds〉에서 영감을 받은 화석에 "루시"의 이름이 선택되었다. 처음에 존 레넌(John Lennon)은 부인했지만, ≪운컷≫(Uncut) 매거진과의 인터뷰에서 폴 매카트니(Paul McCartney)는 마침내 이 노래가 강력한 환각제(LSD)에 관한 것임을 인정했다(Matus Web).

---

10. 인체 조직 내 약물, 독소, 생물학적 연구: 이국적인 병원균의 공급과 이를 효과적인 전달 시스템에 통합할 수 있는 능력.

13. 전기-쇼크 괴롭힘 기법의 공격적 사용에 대한 영향과 같은 분야의 단일 하위 프로젝트. 가스의 외감 인식 분석, 가스 추진 스프레이 및 에어로졸, 작물 및 물질 파괴를 수반하는 4개의 하위 프로젝트.

14. 다음 각 항목에 대한 하나 또는 두 개의 하위 프로젝트: "혈액 그룹화" 연구, 유기 시스템에서의 동물 활동, 에너지 저장 및 전달, 생물 시스템에서의 자극과 반응.

15. 실험용 약물 검사, 뇌진탕에 대한 연구, 그리고 인간 자원 봉사자들의 피부를 통해 테스트되어야 할 생물학적으로 활동적인 물질에 대한 연구

13 '인간의 뇌는 원래 10% 정도만 사용되며, 100%를 모두 발휘할 경우 어떤 일이 가능할지는 미지수'라는 오랜 속설을 배경으로, 마약으로 뇌를 100%를 사용할 수 있게 된 주인공을 통해 생명의 존재 의미를 고찰하는 영화. 영화에서 모든 존재는 상대적으로 존재하지만 시간은 절대적인 척도라고 주장한다. https://namu.wiki/w/%EB%A3%A8%EC%8B%9C(%EC%98%81%ED%99%94)

MK-Ultra의 주모자는 바로 처음부터 신비한 진화론, 그리고 궁극적으로 트랜스휴머니즘의 수용을 이끄는 선도적인 주창자였던 헉슬리 가문 출신의 올더스 헉슬리(Aldous Huxley)였다. 트랜스휴머니즘의 "신비 요법 시술자"(occulter)는 대중문화에서 공상과학소설, 펄프 잡지, 만화책 등으로 발현된 지하문학 전통의 현대적 발상이다. 이러한 문학 경향은 『드라큘라』(*Dracula* 1897)의 작가이자 황금여명회(Golden Dawn)의 멤버인 브램 스토커(Bram Stoker), 에드거 앨런 포(Edgar Allan Poe), 아서 코난 도일(Arthur Conan Doyle)과 같은 신비주의 작가들의 영향에 기원을 두고 있다(Livingstone 133).

1932년, 헉슬리는 그의 가장 유명한 소설인 『멋진 신세계』(*Brave New World* 1932)를 썼고 이것은 CIA의 MK-Ultra "마인드 컨트롤" 프로그램을 형성했다(Livingstone 134). 이 소설에서 헉슬리는 새뮤얼 버틀러(Samuel Butler)의 소설 『에리휜』(*Erewhon* 1872)의 영향을 인정했다. 『기계들 사이에 다윈』(*Darwin among the Machines* 1863)에서, 버틀러는 산업혁명의 급속한 기술적 진보와 다윈의 종의 진화론을 결합했다. 버틀러에 따르면, 결국 기계가 인간을 완전히 대체하게 될 때까지 기계의 기술적 진화는 불가피하게 계속될 것이다. 그리고 『에리휜』에서 버틀러는 이 기계들이 궁극적으로 인간의 인종을 대체하고 동물에서 식물까지의 삶으로써 동물과 다른 생명력을 가진 본능이 될 운명이었다고 주장하면서 "특이점"(Singularity)의 초기 버전을 제시했다(Livingstone 134).

또 다른 초창기 트랜스휴머니즘의 옹호자였던 영국 유전학자 존 버든 샌더슨 홀데인(John Burdon Sanderson Haldane)은 처음으로 트랜스휴머니즘의 근본 사상을 시작했다. 홀데인은 현대 "진화적 통합" (evolutionary synthesis)을 위한 기초 작업을 세웠고, 이 개념은 "신 다 윈주의"(Neo-Darwinism)로 더 잘 알려져 있는데, 리처드 도킨스(Richard Dawkins)의 1976년 작품 『이기적 유전자』(*The Selfish Gene* 1966)라는 제목으로 대중화되었다(Livingstone 134). 도킨스는 이 저서에서 "유기 체의 몸은 그 유전자의 명령에 따라 나아갈 뿐만 아니라, 유기체가 만들 거나 사용하는 인공물도 그러하다. 이런 의미에서 알은 닭과 둥지를 모 두 사용해 또 다른 알을 만들게 되고, 따라서 둥지 역시 알의 진화적인 연장선에 있다. 따라서 유전자의 보이지 않는 코드는 매우 실제적인 의 미에서 볼 수 있는 세계의 큰 덩어리를 그들의 이기적인 이익으로 조작 하는 것"(112-139)이라고 제안한다.

트랜스휴머니스트 사상은 그것의 역사에서, 초자연적인 역사의 위 대한 인물들과 추세에 명확하게 맞추어 트랜스휴머니스트 사상의 역사 를 논한다. 닉 보스트롬(Nick Bostrom)은 트랜스휴머니즘이 "연금술과 신비주의"(Livingstone 7)에 기초했다는 것을 공공연히 인정한다. 마법 은 자연의 숨겨진 힘, 때로는 현실적이고 때로는 상상하는 힘을 이용하 는 것에 바탕을 둔다. 그러므로 수 세기 동안 역사에서 매우 유명한 많 은 과학자 또한 마법사였는데, 그들은 그러한 힘에 대한 지식과 사용의 확대를 추구해왔다. 연금술의 연구는 16세기 말과 17세기 초에 절정에 달했다. 연금술에 대한 암시는 확실히 중세 신비주의(Kabbalah)의 중 요한 구성요소였다. 점성술(Astrology)과 연금술(alchemy)은 실용적인 신비주의라고 알려진 것의 두 측면이었다. 그 결과 데이비드 스티븐슨 (David Stevenson)은 연금술에 대해 다음과 같이 기술한다.

… 연금술은 중앙유럽에서 그 시대의 가장 위대한 열정으로 묘사됐다. 철학자의 돌에 대한 탐구는, 진정한 연금술사의 손에 의해, 단지 기초금속을 금으로 바꾸는 방법을 찾는 물질주의적인 탐구가 아니라, 인류의 도덕적이고 영적인 재탄생을 이루기 위한 시도였다. (78)

연금술과 더불어 신비로운 실험과 밀접하게 연관되어, 새로운 의식의 지위를 얻는 것을 목표로 한 것은 약물의 사용이었다. 현재 "내부 신성 생성"(generating the divine within)이라고 불리는 이들은 신샤머니즘의 한 형태로, "정신" 세계와 접촉하거나 다른 말로 말하자면, 외계 생명체와 접촉할 수 있게 해주는 것으로 해석된다. 신조어 "엔테오젠"(Entheogen)[14]은 1979년 윤리학자 그룹에 의해 만들어졌고, 이 용어는 고대 그리스인들에게 디오니소스의 비밀스러운 종교의식이 치러지는 동안 경험했던 악령 빙의(귀신 들림)와 같은 것[15]을 지칭한 "엔테오젠"

---

14 엔테오젠은 신성한 맥락에서 영적 발달을 불러일으킬 목적으로 인식, 기분, 의식, 인지 또는 행동의 변화를 유도하는 정신 활성 물질이다. 엔테오젠의 종교적, 마술적, 무속적 또는 영적 의미는 인류학적으로나 현대적 맥락에서 잘 확립되어 있다. 엔테오젠은 전통적으로 점, 명상, 요가, 감각 상실, 금욕, 기도, 무아지경, 의식, 성가, 페요테 노래와 같은 찬송가들, 북소리, 황홀한 춤 등으로 초월을 달성하는 데 적합한 다양한 관행을 보완하는 데 사용되어왔다. https://en.wikipedia.org/wiki/Entheogen

15 디오니소스에 대한 신앙은 트라키아 지방으로부터 그리스로 흘러들어온 것으로 생각되며, 디오니소스는 대지의 풍요를 주재하는 신인 한편, 포도 재배와 관련하여 술의 신이 되기도 한다. 이 술의 신에 대한 의식(儀式)은 열광적인 입신(入神) 상태를 수반하는 것으로 디오니소스 신화에서는 신이 인간의 혼 속에 들어오게 되는 경지를 종교의식을 통해 체험하여 인간이 바로 신적 존재라는 것을 강조한다. 즉, 디오니소스 신화는 신과 인간의 일치라는 신비주의(神秘主義)를 표현하고 있다. 서양

이라는 단어에서 유래하였다. 그러므로 엔테오젠은 종종 종교적이거나 "영혼적인"(spiritual) 방식으로 영감을 받거나 영감의 감정을 경험하게 하는 약물을 의미한다고 암시된다. 엔테오젠은 '환각제'(hallucinogen) 와 '환각을 일으키는'(psychedelic)이라는 용어의 대체어로 만들어졌다 (Livingstone 269).

1980년대에 티모시 리어리(Timothy Leary)의 추종자들은 자신들을 "사이버 펑크"라고 불렀고, 이는 컴퓨터와 환각제에 관한 관심의 합일점이 되었다. 1980년대와 1990년대에 많은 젊은이가 리어리의 의식의 8개의 회로모델(Eight-Circuit)에 관심을 두게 되었는데, 그들은 영성과 과학기술을 조화시킴으로써 그들이 속한 새로운 테크노 세대를 규정하는 데 도움이 된다고 느꼈기 때문이다. 리어리의 가설인 의식의 8-회로 모델은 로버트 앤턴 윌슨(Robert Anton Wilson)과 안테로 알리(Antero Alli)에 의해 확장되어 "'8-회로와 24단계의 신경 학적 진화 단계'를 제안했다. 다른 저자들에 의해 언급된 8개의 회로, 또는 8개의 '뇌'는 인간의 신경계 내에서 작동하며, 각각은 그 자체의 각인 및 직접적인 실제 경험에 해당한다. 리어리와 알리는 각 회로마다 3단계로 구성되어 있으며 각 의식 수준에 대한 개발 포인트"를 자세히 설명한다.[16] 반과학적이고 반기술적인 1960년대 히피들과 대조적으로, 1980년대와 1990년대의 사이버 펑크들은 기술과 해커 윤리를 열렬히 받아들였다.

근세의 루터주의, 루소, 헤겔의 사상은 인간 안에 신이 존재한다는 신비주의로 디오니소스 신화에 그 근원을 두고 있다. (김성이 39-41)

16 https://en.wikipedia.org/wiki/Eight-circuit_model_of_consciousness

1960년대에, 리어리 자신은 컴퓨터를 매우 반대했었다. 그는 그것들을 단지 전문가에 대한 개인의 의존도를 증가시키는 장치라고 보았다. 그러나 컴퓨터에 대한 리어리의 태도는 마셜 맥루한(Marshall McLuhan)과의 만남에서 영감을 얻은 후 완전히 달라졌다. 리어리가 약물 효과에 대한 부정적인 보고로 인해 반대가 심했다고 지적하자 맥루한은 다음과 같이 말을 이었다.

> 그렇기 때문에 당신의 (환각제)광고는 종교를 강조해야 해. 안에서 신을 찾아보도록 해. 이것은 모두 끔찍할 정도로 흥미롭잖아. 당신의 경쟁자들은 당연히 뇌를 악마의 도구라고 비난하고 있어. 값을 매길 수 없지!
> … 이 문화는 공포와 고통을 파는 방법을 알고 있어. 뇌를 가속화하는 약들은 인구가 컴퓨터에 적합하게 맞춰질 때까지 받아들여지지 않을 거야. 시대보다 앞서가는군. 그들은 당신의 신뢰를 무너뜨리려 할 거야. (Leary 252)

1973년 초에 리어리는 언젠가 세계가 "전자 신경계"(electronic nervous system, 45)(인터넷)를 통해 연결될 것이며 컴퓨터가 개인에게 자율권을 주는 데 사용될 수 있다고 예측하였다. 리어리의 '전자 신경계' 모델은 모든 시민이 자신의 의견을 표현할 수 있는 개인용 컴퓨터를 갖게 되고, 이를 통해 "나라를 다시 살리고 웃게 하는 새로운 정부 구조를 만들 수 있게 된다"는 가정에 바탕을 두고 있다. 1980년대 초, 크기가 작고 가격이 저렴한 컴퓨터가 수백만의 사람들에게 접근할 수 있게 되었을 때, 리어리는 환각제와 컴퓨터가 실제로 매우 많은 공통점이 있다고 믿게 되었다. 리어리는 중세 연금술사와 "사이버 펑크 컴퓨터에 능숙한 사람"(cyberpunk computer adepts, 245) 사이의 유사점은 수없이 많다고 주장했다.

> 중세 연금술사들은 미래의 사건을 보거나, 멀리 떨어져 있거나 죽은 친구들에게 말하기 위한 마법의 장치들 구성을 묘사했다. 파라셀수스는 그러한 특성을 가진 전기 마력의 거울 구성을 묘사했다.
>
> ......
>
> 오늘날, 현대 연금술사들은 전임자들이 상상할 수 없는 명료함과 힘을 지닌 명령 도구를 가지고 있다. 컴퓨터 화면은 마법의 거울로, 명령의 추상적 개념(주문[呪文])의 다양한 수준에서 대체 현실을 보여준다. 19세기 오컬트의 전설적인 인물인 알레이스터 크롤리는 마법을 "우리 의지에 따라 일어나는 변화를 일으키는 기술과 과학"이라고 정의한다. 이러한 목적을 달성하기 위해, 컴퓨터는 우리가 세상을 움직일 수 있는 아르키메데스의 차기(次期)의 지렛대이다. (Leary 45)

리빙스턴에 의하면, 트랜스휴머니즘은 "과학이 아니라 공상과학소설"(315)로, 처음부터 우연히 연계된 적이 없었던 문학 장르다. 그것은 과학의 가능성에 대한 환상을 현실세계에 이상적이고 허구적인 것으로 덧입히는 것을 나타낸다. 이러한 주제들은 모두 다방면에 걸친 네트워크 안에서 인류 진화가 "집단의식의 발달"(315)로 절정에 이를 것이라는 믿음에서 서로 연관되어 있다. 그리고 트랜스휴머니즘은 인터넷 시대의 "친목단체"(Freemasonry)이고, 현대 트랜스휴머니즘 운동은 맥스 모어(Max More)에 의해 설립된 두뇌집단인 엑스트로피 연구소(Extropy Institute)와 시작되었다.[17]

1988년에 『엑스트로피 매거진』은 AI, 나노기술, 유전공학, 수명 연장, 정신전송(mind uploading),[18] 미래학, 로봇공학, 우주탐사, 문화구

---

17 엑스트로피 연구소는 로버트 앤턴 윌슨의 『프로메테우스의 부상과 찬란함』 3부작, 아인 랜드의 『아틀라스』, 프리드리히 하이에크의 『자유헌정론』, 하워드 블룸의 『전 세계적인 두뇌』, 한스 모라벡의 『마음의 아이들: 로봇과 AI의 미래』, 레이 커즈와일의 『지적 기계의 시대』와 극저온학, 나노테크놀로지에 관한 작품들, 그리고, 아서 C. 클라크, 아이작 아시모프, 로버트 하인라인, 버너 빈지를 포함한 많은 공상과학 소설 작가들 그리고 워쇼스키 형제의 『매트릭스 촬영 대본』을 포함한 많은 현대 작가들의 목록에 대해 다루고 있다. 『매트릭스』의 이론적 템플릿은 세미오텍스트 저널의 창시자인 실베르 로트링제(Sylvere Lofringer)가 만든 시뮬레이션의 영향으로 촉발된 새로운 예술 운동에서 제공됐다. 그리고 로프링거가 프랑스의 이론가들을 모아 창간한 『세미오텍스트 외국 대리인』 시리즈는 1983년 장 보드리야드의 「시뮬라시옹」으로 데뷔했고, 그 다음으로는 질 들뢰즈, 펠릭스 과타리, 폴 비릴리오, 장 프랑수아 리오타르, 미셸 푸코의 타이틀이 있었다. (Livingstone 315)

18 정신전송은 트랜스휴머니즘이나 사이언스 픽션에서 사용되는 용어이며 인간의 마음을 컴퓨터와 같은 인공물에 전송하는 것이다.

인간의 두뇌를 스캐닝해서 두뇌에 있는 정보를 컴퓨터에 저장할 수 있어야 나중에 컴퓨터에 저장된 기억을 도로 가져올 수 있다(트랜스휴머니스트는 이런 기술을 업로딩(Uploading)이라고 한다). 업로딩은 인간의 지능을 컴퓨터로 전송하는 것을 말한다. 이렇게 되면 우리는 우리 뇌의 기억을 컴퓨터 파일로 저장해서 그 파일을 뇌로 전송할 수 있을 것이고, 그것은 가상공간에서 활동하는 또 다른 나에게 나의 기억을 전송해줌으로써 또 다른 내가 나처럼 가상공간에서 활동하도록 해준다고 생각할 수 있다. 이렇게 되면 나는 여러 곳에 편재(遍在)하면서 동시에 다양한 경험을 할 수 있고 수명이 늘어나는 효과를 볼 수 있다. (호세 코르데이로, 《신동아》)

성요소학, 그리고 트랜스휴머니즘의 정치와 경제에 관심을 가진 사상가들을 한데 모아 「엑스트로피: 휴머니스트 사상에 대한 기고」("Extropy: The Journal of Transhumanist Thought")를 처음 발간하였다. 1989년 『엑스트로피』에, 모어는 「환각제와 정신의 팽창」("Psychedelics and Mind Expansion")을 썼는데 시리우스(R. U. Sirius)에 따르면, 환각제 약물이 어떤 영향을 끼쳤는지에 관한 한, 그것은 공상과학소설과 함께, 이 운동에서 인지도가 있는 많은 사람에게 확실한 역할을 했다. 그것은 다시 인간의 가능성을 확장하고 또 확장하려는 아이디어다.

1990년 모어는 엑스트로피 원리(principles of Extropy)의 형태를 띠는 자신만의 특별한 트랜스휴머니즘 교리를 창안하고, 새로운 정의를 내려 다음과 같은 현대 트랜스휴머니즘의 기초를 닦았다.

> 트랜스휴머니즘은 우리를 포스트휴먼 상태로 인도하려는 철학의 한 종류다. 트랜스휴머니즘은 이성과 과학에 대한 존중, 진보에 대한 헌신, 그리고 이 삶에서 인간(또는 트랜스휴먼) 존재에 대한 가치 평가 등 휴머니즘의 많은 요소를 공유한다. 트랜스휴머니즘은 다양한 과학과 기술에서 비롯되는 우리 삶의 본질과 가능성의 급진적인 변화를 인식하고 예측하는 데 있어서 휴머니즘과 다르다. (1)

1992년 모어와 톰 모로(Tom Morrow)는 최초의 트랜스휴먼 단체인 엑스트로피 연구소(ExI)를 설립하고 이 운동에 필요한 몇 가지 기본 원칙을 제시했다. 연구소는 기업과 사회가 적극적으로 집단지성을 모을 기회에 관심을 집중하기 위해 트랜스휴머니스트 네트워킹 및 정보 센터로 결성되었다(Livingston 316). 첫 번째 동료 논평 기사는 1995년 고트프리드 메이어-크레스(Gottfried Mayer-Kress)에 의해 발표되었고, "세계 전역의 웹을 집단적으로 지능적인 네트워크"(the world-wide web into a collectively intelligent network, Livingston 330)로 변화시킬 수 있는 최초의 알고리즘은 벨기에의 인공두뇌학자인 프랜시스 헤이라이언(Francis Heylighen)과 그의 박사과정 학생 요한 볼렌(Johan Bollen)이 1996년에 제안하였다.

헤이라이언은 글로벌 두뇌로서 인터넷의 모델인 인공두뇌학 원리 프로젝트(Principia Cybernetica Project)에 대한 그의 연구와 기억 및 자기 조직 이론에 대한 공헌으로 가장 잘 알려져 있다. 인공두뇌학 원리 프로젝트는 시스템 과학과 인공두뇌학의 학제적 학문 분야의 맥락에서, 그는 "컴퓨터가 지원하는 진화적인 침투성의 철학"(Livingston 330)이라고 부르는 것에 전념했다.

헤이라이언과 볼렌은 세계 전역의 웹을 집단지성 즉 글로벌 두뇌를 보여주는 자기 조직적이고 학습 네트워크로 바꿀 수 있는 알고리즘을 제안했던 최초의 인물들이다. 헤이라이언은 세계 두뇌 가설에 기여한 지적 역사의 흐름을 살펴보며 네 가지 관점, 즉 "유기체설, 백과사전주의, 창발주의, 그리고 진화론적 인공두뇌학"(organicism, encyclopedism, emergentism and evolutionary cybernetics)으로 구분했는데, 이 관점은 이제 자신의 과학적인 재구성이 수렴되고 있다고 제안한 것이다(More 1-4). 헤이라이언은 글로벌 두뇌가 개인의 인간 지능 수준에 관한 메타시스템이라고 주장하며, 이러한 전환을 촉진하는 구체적인 진화 메커니즘을 조사했다. 이 시나리오에 따르면, 인터넷은 서브시스템에 접속하여 그들의 활동을 조정하는 "신경망"의 역할을 수행한다. 인공두뇌학 접근 방법은 이러한 조정과 집단지성이 나타나는 자기조직화 과정의 수학적 모델과 시뮬레이션을 개발할 수 있게 해준다(Livingstone 330). 그리고 더 나아가 로드니 오페우스(Rodney Orpheus)는 당신의 컴퓨터를 사용할 때는 "상상력을 사용하여 컴퓨터의 현실을 조작하는 것"(Livingstone 308)이라고 말한다.

트랜스휴머니즘은 기술이 발전함에 따라 인간의 신체 확장에서 의식의 확장으로의 진화 가능성을 제시하고 특히 약물과 컴퓨터를 통한 정신의 증강 가능성을 계속 예견해왔다. 그리고 이러한 트랜스휴머니스트의 경향에 따른 영화들에서 트랜스휴먼의 이미지가 발견된다. 앞에 언급한 영화 외에도 〈매트릭스〉(*The Maftrix* 1999), 〈로보캅〉(*RoboCop* 2014)의 리메이크, 〈아바타〉(*Avatar* 2009), 〈리미트리스〉(*Limitless* 2011) 등이 있는데, 〈리미트리스〉에서 브래들리 쿠퍼(Bradley Cooper)는 '스마트 마약'으로도 알려진 향정신제 약물을 사용해 명성과 성공을 거두는 고군분투하는 작가 역을 맡았다. 그리고 더 최근에, 〈그녀〉는 인간이 AI 컴퓨터와 사랑에 빠지는 것을 특징으로 하며, 〈트랜센던스〉에서 조니 뎁(Johnny Depp)은 컴퓨터에 "정신전송"(mind-uploaded)이 된다.

트랜스휴머니즘의 탄생 배경과 발전사를 통해 우리가 알 수 있는 것은 처음에는 인간이 과학기술을 바탕으로 기계를 만들었지만, 이제 인간은 자신이 만든 기계 환경에 맞추어 갈 수밖에 없는 존재가 되어가고 있다는 것이다. 기계는 이제 더 이상 인간의 도구로서만 존재하지 않고, 인간의 의식에 관여하고, 더 나아가 인간의 삶의 방식 자체를 변화시킬 가능성이 커졌다. 이렇게 된다면 기계에 대한 인간의 배타적 우월성을 당연하게 받아들이기는 어려워질 것이다.

트랜스휴먼의 등장은 그동안 고유의 인간성을 인정해 왔던 관점에 대해 진지한 성찰을 요구하고 있다. 이러한 성찰이 인간의 배타적 우월성을 유지하기 위해 인간을 인간이 아닌 것과 구분하는 또 다른 기준을 찾아야 한다는 것으로 귀결되어서는 안 된다. 트랜스휴먼에 관한 논의는 인간과 인간이 아닌 것을 구분해왔던 관점 자체에 대한 근본적인 재고를 요구하고 있다.

2장

메리 셸리의 『프랑켄슈타인』:
인공 생명체와 AI의 학습 연관성*

1. 인공 생명체와 인간

가장 인간에 가까운 것을 만드는 것은 무엇이고,

가장 인간에 가깝다는 것은 무엇이며,

인간이라는 것은 무엇인가?

　　인간을 정의하는 가장 오래된 방식은 인간을 절대적 존재로서의 신과 본능적 존재로서의 동물 사이에 놓인 경계 존재로 자리 잡는 것이다. 인간은 신적인 능력을 일부 보유하고 있으면서 동시에 동물적 본능

---

* 2장은 『영어권문화연구소』 12-2호(2019)에 실린 "Mary Shelley's *Frankenstein*: The Link Between Frankenstein's Creation of an Intelligent Being and Machine Learning of Artificial Intelligence"를 우리말로 번역, 확장한 것이다.

도 지닌 이중적인 존재이다. 철학은 이러한 인간의 이중성에 대한 인정을 바탕으로 다양한 경로로 인간을 정의해 왔다. 18세기 영국을 대표하는 신고전주의 시인인 알렉산더 포프(Alexander Pope)도 『인간론』(*An Essay on Man* 2016)에서 우주의 본성과 우주 속 인간의 위치를 다루면서 인간은 "우주 질서"(cosmic order, Burtt 294)로 생각되는 "존재의 거대한 고리"(Vast Chain of Being, I. 237)에서 인간이 차지하는 자리, 다시 말해 "지위"(station, I. 3)로 인해 "세상의 매우 찬란하고 영광스러운 존재이자 조롱거리고 수수께끼 같은 존재"(II. 18)였다.

존재의 계층에 따른 고리에 대한 고전적이고 중세적인 개념은 영적인 것뿐만 아니라 모든 생명체와 물질들, 즉 자연에서 가장 보잘것없는 것에서부터 천상의 가장 고귀한 것들까지 포함하여 우주에 존재하는 모든 것들의 위치와 가치는 "그것을 조물주로부터 분리하는 더 멀거나 더 가까운 거리"(Zakai 재인용 238)로 결정되었다. 인간은 자기 아래에 있는 모든 존재들의 능력을 합친 것과 마찬가지인 이성이라는 능력(faculty)을 갖춤으로써 모든 하위의 존재들을 종속시키고 있을 뿐만 아니라 동물적인 본능과 이성을 가진, 즉 이중성(double nature)을 가진 중요한 고리가 되고 있다. 그런데 셸리는 『프랑켄슈타인』에서 우주에 존재하는 모든 것들의 거리와 경계를 허물어뜨리고 삶과 죽음의 경계도 초월하여 생물과 비 생물을 융합하여 인간의 속성을 닮은 '초연결-융합형'(hyper-connected and fused) 인공 생명체를 창조해 인간에 대해 성찰하고 있다.

셸리가 살았던 19세기는 "중대하고 위협하는 사회적 변화와 엄청난 에너지"에 의해 특징지어지고, 빠르고 연이은 사건들은 "몰아치는 번

영과 인간의 개혁과 엄청난 야망", 그리고 진화론에 따라 기독교에 대한 "파괴적인 의혹"(devastating doubts)을 생산해냈다. 1800년과 1850년 사이에 인구는 9백만에서 1,800만으로 두 배가 되었고, 영국 본토는 지상에서 가장 부유한 도시, 역사상 최초의 도시 산업사회가 되었다. 윌리엄 새커리(William Makepeace Thackeray)가 "우리는 기사도의 시대에 살고 있고, … 증기력의 시대에 살고 있다"고 묘사했듯이 19세기 시민들은 중세의 분위기 속에서 살면서 의식도 중세의 마인드를 갖고 있지만, 현실은 증기력을 이용하는 출력과정과 철로와 전신, 신문업, 그리고 스팸에 의해 눈이 부시고 아찔한 상황 속의 연속이었다(Damrosch 2). 따라서 셸리 역시 당대의 엄청난 변화의 충격과 급격한 사회변화와 기술 혁신이 초래하는 심리적 충격, 즉 "미래 충격과 정보의 폭발적인 증가(Damrosch 2)"를 둘 다 겪었다. 이러한 사회적인 배경하에서 셸리는 19세기 사회변화와 과학・기술혁신에 문학적 상상력을 가장 첨예하게 보여주는 『프랑켄슈타인』을 통해 인간에 의해 주도되는 새로운 종의 출현 가능성을 제시하였다.

프랑켄슈타인 박사(Dr. Frankenstein)는 자신에게 "생명의 원리"(23)가 어디서 발생하는지 스스로 "대담한 질문"(23)을 던지며 "생리학과 연관된 자연철학 분야"(24)의 연구에 몰두한 결과, 드디어 "개체발생과 생명의 원인을 찾아냈다, 아니 그보다는 자기가 직접 무생물에 생명을 불어넣는 능력을 갖추게 되었다"(24). 하지만 박사는 생명을 불어넣을 신체가 없었기 때문에 뼈대와 장기와 혈관 등을 마련하는 과정에서 "시체 안치소에서 유골"(25)을 수집했고, "불경한 손으로 인간 골격의 엄청난 비밀을 어지럽혔고"(25), 세밀한 부위는 "해부실과 도살장에서 상당량의 재료"(26)를 조달받았다. 그리고 이렇게 연결한 "생명 없는 물체"(the lifeless thing, 27)에 "존재의 불꽃"(a spark of being, 27)을 주입하자, 그것은 "생물체"(creature, 27)가 되어 눈을 뜨고, 숨을 쉬고, 사지를 흔든다. 인간의 시체 조각과 동물의 사체의 부분을 연결해 인공 생명체를 탄생시킨 것이다.

하지만 프랑켄슈타인 박사의 창조물은 이름이 없어서, 그것의 용어를 결정해야 한다. 소설 본문에서는 '악마'(daemon)가 자주 사용되었고 후세에는 '괴물'(monster)이 가장 많이 사용되어왔지만, 최근에는 중립적인 용어인 '생물'(creature)이라는 호칭을 사용하는 추세이다. 특히 타일러 히치콕은 자신의 저서 『프랑켄슈타인: 문화적 역사물』(*Frankenstein: A Cultural History* 2007)에서 "괴물"(Hitchcock 11)과 "생물"(Hitchcock 11)이라는 두 가지 용어를 사용하지만, 본 글에서는 창조물의 의미가 분명할 때는 "생명체"(a being) 혹은 "지능이 있는 생명체"(an intelligent being)라는 용어를 사용하고, 일반적인 맥락에서는 "창조물"(creation)이나 "인간"(a human being)이라는 용어를 사용하기로 하였다. 이러한 결정은 프랑켄슈타인 박사가 창조하는 과정에서, "나 자신과 같은 존재를 창조하거나 아니면 더 단순한 생물체를 창조"(25)하겠다는 시도를 하려고 생각했지만, 자신의 수술 작업이 불완전할 수 있다는 가능성에도 불구하고 결국 그가 "인간 창조"(the creation of a human being, 25)를 시도하기 때문이다.

사전은 우리에게 "생명체", "인간" 또는 "사람"에 대한 다양한 정의를 제공한다.[1] 이 정의들은 인간의 속성이 무엇인지 그리고 어떻게 사람들이 생명체, 인간 그리고 사람을 분류하는지에 대해 우리에게 말해준다. 일반적으로 신체와 전체적인 외모, 감정과 성격, 그리고 우월한 정신 발달은 인간이 의미하는 바를 규정하는 데 가장 중요한 특징들이다. 사전적 정의에 따르면, 인간은 오직 인간에 의해서만 분류될 수 있고, 사회가 친숙한 인간의 외모를 볼 때만 분류될 수 있다.『프랑켄슈타인』에서 독자들의 관심은 프랑켄슈타인 박사와 그의 창조물이 소설에 등장하는 첫 순간부터 외모 문제로 모인다. 첫째, 와튼(Walton)은 멀리서 "사람의 외양을 하고 있지만, 겉보기에 엄청나게 키가 큰 생물체"(10)를 지켜보았고, "그는 다른 여행자가 여겨지는 것처럼, 어떤 미지의 섬의 야만적인 거주자가 아니라 유럽인이었다"고 말한다(10). 그는 누가 문명인이고 누가 야만인인지 분명히 구별하고 그 존재를 범주화시킨다는 것을 알 수 있다. 다음으로 프랑켄슈타인 박사는 그 생물체가 자신을 향해 "초인적인 속도로"(with superhuman speed, 52) 나아가지만 "그것의 섬뜩한 추함이 그것을 인간의 눈에는 거의 너무나 끔찍하게 만들었다"(52-53).

그리고 프랑켄슈타인 박사는 "새로운 종은 나를 그것의 창조자이

---

1 생명체(being): 생물, 특히 사람(Longmandictionary Web), 그리고 "존재하는 사람이나 사물"(Dictionarycambridge Web).
인간(human being): 호모 사피엔스의 모든 인종의 일원, 사람, 남자, 여자 또는 아이 (Collinsdictionary Web), 그리고 "우수한 정신 발달, 관절의 힘에 의해 다른 동물들로부터 격리되었다. 말과 직립 자세"(Oxforddictionary on Lexico Web).
사람(human): 동물에 반하여 사람 또는 사람에 소속되거나, 신, 동물 또는 기계(Dictionarycambridge Web), "사람과 관계" 및 "사람의 신체에 대한 관계"(Macmillandictionary Web)와 같은 인간의 자질, 결점, 감정이 있다. "사람들이 보통 가지고 있는 좋고 나쁜 자질이 있다", "인간의 형태나 속성이 있다"(Merriam-Webster Web), "정상적인 인간의 감정과 행동, 특히 당신이 약해질 수 있다는 것을 보여준다"(Macmillandictionary Web).

자 원천으로 축복할 것이다"(25)라고 말하지만, 그 생물 종은 비록 사람에 의해 창조된 최초의 인간이지만, 사람(시체)의 여러 부분을 합성한 것이므로, 그것의 외양이 인간인지 아닌지를 규명하기는 어렵다. 200여 년 전에는 무덤 도굴과 절개, 해체 및 해부학이 당시에 널리 유행했기 때문에 프랑켄슈타인 박사가 시체의 여러 부위를 사용하는 것이 완전히 합리적이어서 인간을 창조하는 실험이 가능한 일이었지만 다른 사람들에게는 엄청난 도전이었을 것이다(Marshall 11-18).

인간으로서 그 창조물은 그 자체로 다른 인간들과 조상을 공유하는 것이 아니라, 한꺼번에, 그리고 동시에 그는 여러 인간의 신체 부위, 즉 시체 조각들을 통해 조상을 공유한다. 왜냐하면 이것은 시체 조각들 안에 "작은 유전 단위"(Dawkins 30)가 "먼 미래까지 흡사히 계속 살아남아서"(Dawkins 30) 후대에까지 전해질지도 모르기 때문이다. 유전자라는 용어는 "수많은 세대 동안 지속되고, 많은 복제물의 형태로 분포되기에 충분히 작은 유전 단위"(Dawkins 32)를 뜻한다. 이 창조물은 시체의 조각들로 만들어졌기 때문에 그의 신체에는 기본적으로 인간의 유전자가 존속되어 있어 인간의 속성이 남아있다. 따라서 그가 인간처럼 말하고 행동하고 생각하는 것처럼 보이지만, 완전한/현존하는 인간과는 다른 인간의 형상을 한 어떤 생명체이다.

특히 "창조자"라는 종교적 표현은 프랑켄슈타인 박사의 야망을 인간이 신 노릇을 하는 오랜 전통과 연결하게 한다. 예를 들어, 유대 민속에서는 성경의 전설에 따라 아담은 점토로 형성되었듯이 몇몇 위대한 랍비들이 점토를 살아있는 것으로 만들었다고 한다. 이 살아 움직이는 점토는 골렘(golem)[2]으로 알려져 있으며, 그들이 어리석게 고분고분하다는 사실만 제외하면 인간과 닮았다. 하지만 그것이 말 그대로 명령을 따라가다 보면 파괴적으로 될 수밖에 없어 창조자들의 제한된 선견지명과 자만심의 위험성을 보여줌으로써 창조자들의 오만함을 드러낸다. 신화와 문학에서 자만심이 끈질기게 등장하는 주제임에도 불구하고, 프랑켄슈타인 박사를 포함하여 신을 연기하려는 유혹은 과학과 기술의 힘이 증가함에 따라 점점 더 커져만 가는 것 같다. 이러한 현상은 특히 합성생물학(Synthetic Biology)과 AI라는 두 가지 활발한 연구 분야에서 두드러진다. 합성생물학 의제의 중심은 말 그대로 새로운 종을 창조하려는 욕구다.

이런 맥락에서 프랑켄슈타인 박사의 창조물은 육체적인 관점에서는 복제인간(clone)이고 인지적인 관점에서는 인공 생명체(artificial life, AL)가 될 수도 있다. 그는 인간이 지닌 분류기준으로는 정체를 가늠할 수 없는 존재이다. 그는 인간이 아닌, 인간의 범주 틀 바깥에 있는 존재이므로 인간의 사유 능력으로는 파악할 수 없는 생명체이다. 따라서 이 창조물은 인간을 미궁 속 불안으로 밀어 넣는 생명체이다. 확정 불가능한 이 생명체에서 오는 불안은 인간에게 이것의 존재를 꺼리게 하고 마침내 괴물로 간주하게끔 만들어서 인간 세상 밖으로 내쫓는다. 인간 세계에서는 이 창조물이 그저 생존하는 것만이 허용되고 존재하는 것은

---

2 골렘(영어: golem, 히브리어: גולם)은 신화에 등장하는 사람의 형상을 한 움직이는 존재로, 어떠한 물체를 매개로 마법을 사용해 창조한다. 또한 시편이나 중세의 서사시에서는 돌이나 진흙 등 무정형의 물체를 일컫는 용어로 사용되기도 했다. 골렘과 관련된 설화 중 유명한 것으로 16세기에 프라하에서 거주했던 랍비인 유다 뢰브 벤 베자렐(랍비 로위)이 창조한 골렘 설화가 있으며, 교육심리학 용어인 골렘 효과 어원의 유래가 되었다. (https://ko.wikipedia.org/wiki/%EA%B3%A8%EB%A0%98)

허용되지 않을 수도 있다. 살아남기 위해 자신의 존재성을 드러내지 않아야 한다는 이 운명은 창조물이 내적 분열을 일으킨다. 안전을 위해서 자신의 감정과 행동을 억제하는 내적 규율은 항상 인간적이지 않은 충동의 폭발 때문에 손상된다. 창조물의 발작적 살인은 내적 규율과 인간적이지 않은 충동 간의 파열음이다. 그의 신체적인 "흉측함"(ugliness, 53)은 이성의 규제를 무력화시키는 야수적 충동을 일으킨다.

하지만 개인으로서 '우리가 누구냐'라는 중요한 질문은 우리가 다른 사람들에게서 관찰하는 것에 대응하여 만들어진다. 다행히 창조물은 사랑스럽고 존경할 만한 드 레이시(De Lacey) 가족을 찾고 흉내를 내려고 하는 행운을 가지게 된다. 그는 가족의 오두막 근처에 있는 "헛간"(hove, 70)에 머물면서 가족을 몰래 지켜보는 과정에서 인간적인 면모를 보여준다. 창조물이 가장 인간과 같은 감정을 표현하는 상황 중 하나에서 우리는 그가 인간의 속성을 가지고 있음을 유추한다.

> 나는 기이하고 힘이 넘치는 본성에 대한 감각들을 느꼈다. 그것들은 내가 전에 배고픔이나 추위, 따뜻함이나 음식에서는 경험해본 적이 없던 고통과 즐거움의 혼합물이었다. 그리고 나는 이러한 감정들을 견딜 수 없어서 창문에서 물러났다. (58)

게다가, 그는 "그들이 불행할 때, 나는 우울함을 느꼈고, 그들이 기뻐할 때, 나는 그들의 기쁨에 공감했다"(61)고 말하기도 한다. 그는 또한 "오두막집 사람들이 자신들을 위해 아무것도 비축해두지 못했을 때 여러 차례 노인 앞에 음식을 놓는 것"(60)을 보고, 그들이 행동하는 방식과 태도에 감동한다. 그로 인해 그는 자신이 "사랑하는 오두막집 사람들"(69)을 돕기 위해, 그들이 집에 없거나 자신을 보지 못할 때 그들의 벽난로를 따뜻하게 해줄 나무를 모으기 시작하고 몰래 집 주변을 돕는다.

특히 창조물은 그들이 우아한 태도로 인간의 언어를 말하는 것을 보고 들으면서 "그들의 호감을 얻고 나중에는 사랑을 얻는"(62) 상상을 한다. 그러기 위해서는 "언어의 기술"(the art of language, 62)을 습득해야 한다고 생각하고 열심히 인간의 언어를 배운다. 게다가, 그는 "가죽으로 만든 여행가방"(70)을 줍게 되는데 그 가방에서 얻은 책들인 "『밀락원』, 『플루타르크 영웅전 전집』, 그리고 『베르테르의 슬픔』"(*Paradise Lost, A volume of Plutarch's Lives*, and *The Sorrows of Werter*, 70)을 읽으면서 신과 아담 그리고 신의 명령에 불복종으로 인해 범해진 인간의 원죄와 그 결과로 오게 된 인간의 낙원 상실과 죽음, 인간의 타락을 알게 된다. 또한, 인간의 역사와 문화를 배우고, 심지어 인간의 감정까지 공감하면서 자기 자신이 가진 인간성(humanness)을 사람들의 인간성(humanity)과 비교하게 된다.

> 그러면 나는 뭐였나? 내 출생과 창조주에 대해서는 아는 바가 전혀 없었다. 하지만 내게는 돈도, 친구도, 사유재산도 전혀 없다는 건 알고 있었다. 게다가 나는 흉측하고 혐오스러운 외모를 하고 있었다. 심지어 나는 사람과 같은 본성도 갖고 있지 않았다. … 나의 친구들과 친척들은 어디에 있었는가? 내 유아 시절을 지켜보신 아버지도 없었고, 미소와 애무로 나를 축복해주신 어머니도 없었

으며, 있다 한들, 지나간 내 삶은 이제 전부 오점이고, 내가 어떤 것과도 구별하지 못하는 이해할 수 없는 빈 곳이 되었다. 나는 무엇이었나? (65-66)

그리고 그 창조물도 자신이 "끔찍한 존재"(53)여서 "모든 생물을 넘어 그 이상으로 비참하다"(53)고 말하고 프랑켄슈타인 박사에게 "내가 충분히 고통받지 않았느냐, 당신은 나의 비참함을 증가시키려고 하느냐?"(83)라고 묻는다. 그는 자신의 두 눈을 통해서만 인간의 삶을 관찰하여 인간관계를 인지하고 책을 통해서만 간접적으로 인간의 삶을 경험하고 사유한다. 프랑켄슈타인 박사와의 대화가 인간과 나누는 유일한 대화이고 그와의 관계 맺음이 유일한 인간적인 행위일 뿐이다. 사실, 인간의 사유 능력과 말하기 능력은 인간이 자신을 주체로 정립하는 중요한 원천 중의 하나가 될 수 있다. 인간은 사유 능력을 통해 자신의 외부에 있는 것들에 대해 규정한다. 다시 말해, 자신의 의식 외부에 있는 대상, 타인, 그리고 사건 등이 무엇인지를 일정한 틀에 맞춰 파악한다는 것이다.

우리 인간은 자신의 외부에 있는 것들에 대한 궁금증을 해소하는 과정에서, 내가 아닌 다른 사람들과 대화를 하면서 그것의 답을 찾아낸다. 그러나 우리의 언어적 행위는 타인과의 대화로만 국한되지는 않는다. 자신의 의식 밖에 있는 것들이 무엇인지 알아내기 위해 인간은 여러 가지 질문을 자기 자신에게 묻고 대답한다. 그리고 마침내 의식 외부에 존재하는 것들에 대한 일정한 해답을 내놓는다. 그런데 인간의 말하기는 타인과의 대화에서보다는 자기 자신과의 대화 속에서 좀 더 성찰적이고 비판적이며 합리적인 형태를 취하게 된다. 외부의 것이 무엇인지를 규정하는 과정에서 인간은 이 규정이라는 의식행위를 하는 이가 누구인지 물어보게 되고, 그것이 바로 자기 자신이라는 사실을 깨닫게 된다. 이것이 바로 자기의식, 즉 외부 대상 등을 규정하는 자기를 의식하는 차원이며, 이러한 자기 성찰적인 상태에서 비로소 인간은 자기 자신에 대한 모습을 정립하게 되는 것이다.

> 당신의 마음을 들여다보고 느껴보라
> 당신의 영혼을 들여다보고 만나보라
> 당신의 정신을 들여다보고 경청하라
> 당신이 느끼는 것이 무엇이든, 보는 것이 무엇이든,
> 듣는 것이 무엇이든 그것이 인간적인 부분이다. (Runehov 1)

하지만 프랑켄슈타인 박사의 창조물은 인간을 관찰하고 시, 고전철학, 그리고 매우 감상적인 소설을 읽음으로써 인간성에 대해 배웠음에도 불구하고 인간사회에서 인간과의 진정한 상호작용이라는 경험의 빈곤으로 인간과 자기 자신의 차이를 인식하고 분노할 뿐 진정한 자아 성찰까지는 하지 못한다. 시어도어 아도르노의 『계몽의 변증법』(*Dialectic of Enlightenment* 1947)에 따르면 "경험은 '사유'만큼, 아니 '사유'보다 더 중요한 개념"(70)이다. 그 경험개념의 확장된 개념으로 "이전의 '경험' 개념이 일차적으로 의식의 확장이라는 의미를 지닌다면, '고통의 체험'으로서 주체 내부의 흔들림을 전제하는 아도르노의 '경험' 개념은 전통적인 '경험'보다는 '체험'에 가깝다"(70). 아도르노의 '체험'에 따르자면

사회 속에서 사람들이 서로 부딪히면서 경험하는 진정한 '고통의 체험'의 결여 속에서 창조물의 자아 성찰은 인간의 자아 성찰의 모방으로 볼 수 있다.

결과적으로, 프랑켄슈타인 박사의 창조물은 시체 조각이었던 "생명 없는 물질"(lifeless matter, 24)에서 활기를 띠게 된 "인간"(a human being, 25)의 생물학적 구조를 구현한 초연결-융합형 인공 생명체일 뿐이다. 이 인공 생명체는 인간의 언어와 행동 그리고 지식을 학습하고 모방하고, 인간의 감정을 느끼는 진화과정에서 사물과 세상을 이해하는 것으로 보이지만, 인간과의 상호작용을 통한 삶의 경험이 거의 없고 인간의 본질적인 속성인 자아 성찰이나 가치창조, 그리고 예술 행위가 결여되어 있다. 인간에게는 인간이 할 수 있는 측면이 있다. 이것은 인공 생명체로 정확하게 표현될 수 없다. 왜냐하면 그것들은 단지 학습을 통해 습득한 지식이나 모방이 아니기 때문이다.

2. 인공 생명체의 학습과 AI의 기계학습의 연관성

컴퓨터는 많은 다른 것을 하도록 프로그램될 수 있는 보편적인 기계이다. 더 미묘하게, 컴퓨터 프로그램은 스스로 수정할 수 있다. 이 능력은 AI 꿈의 기본이다. 학습은 우리 지능의 핵심 부분인 것 같다. 컴퓨터가 학습을 시뮬레이션하려면 자신의 프로그램을 수정하는 방법이 있어야 한다. (Walsh 7-8)

AI는 컴퓨터를 통해 인간이 하는 지능적인 판단과 행동을 모사 (simulation)함으로써 유용한 응용 프로그램(application)을 만드는 연구 분야다. AI에 관해 설명하기 전에 지능의 개념을 정의해보면, "새로운 혹은 도전적인 상황을 배우거나 이해하거나 다루는 능력"(Merriam-Webster Web)이다. 다시 말해, 지능은 어떤 환경으로부터 지식을 습득 하고 그것을 우리가 필요로 하는 특정 분야에 적용함으로써 새로운 상 황을 처리하는 것이다. 이러한 지능의 결합체계는 AI 시스템이라고 간 주할 수 있다. AI의 실현에 필요한 능력으로는 학습에 의한 지식 습득 능력, 문제를 이해하는 능력, 지식을 이용한 유추 능력 등이 있다. 특히 인간의 가장 눈에 띄는 점은 변화하는 환경에 적응하는 학습 능력을 갖 추고 있다는 점인데, 이것은 지식을 바탕으로 작동하는 AI 시스템을 갖 추는 핵심 능력이다. 허버트 사이먼(Herbert Simon)에 따르면, 학습은 "시스템이 다음번에 같은 업무를 더욱 효율적으로 수행할 수 있게 한다 는 의미에서 적응력이 있는 시스템의 변화를 나타내는"(Chopra 재인용 222) 것이고, 마빈 민스키(Marvin Minsky)는 학습을 "우리 마음의 작용 에 유용한 변화를 만드는 것"(Chopra 재인용 222)이라고 말한다.

학습 능력에 관한 한, 프랑켄슈타인 박사의 창조물은 프랑켄슈타 인 박사를 처음 만나 "언변과 설득의 힘"(powers of eloquence and persuasion, 127)이 있는 문장으로 이야기할 때 그의 "언어의 기교"(art of language, 62)를 증명한다. 그 창조물은 자신이 창조된 순간부터 걸 을 수 있었다. 게다가 그는 자신에 대해 이야기하면서 자신이 꽤 짧은 시간 안에 말하고 읽는 것을 배울 수 있었다고 말한다. 이것은 사람들 에게 전혀 정상적인 것이 아니다. 게다가, 그는 스스로 불의 기능을 이해하게 되고 무엇을 먹고 마셔야 할지 알게 된다. 그가 드 레이시스가의 오두막에 도착했을 때, 그는 먹을 수 있는 것인지를 알 수 없음에도 불구하고, 무엇인가를 먹기 위해 그곳에 있는 빵을 잡았다는 것은 주목할 만하다. 또한 그는 "내 손으로 마시는 것보다 더 편하게 마실 수 있어"(57)라고 말하며 컵도 잡는다. 이것은 그가 누군가가 컵으로 마시는 것을 본 적이 있고, 따라서 그는 그것을 모방함으로써 컵의 기능을 배웠다는 것을 의미할 수도 있고, 인간의 "도구 본능"(Tool instinct, Osiurak 32)에 의해 그는 컵의 기능을 이해하게 되고, 스스로 그것을 매우 빨리 사용하는 법을 배운다는 것을 전제할 수도 있다.

이것은 인간의 학습 과정과 AI의 기계학습 과정에 견주어 볼 수 있다. 미국의 컴퓨터 과학자인 아서 사무엘(Arthur Samuel)에 따르면, 기계학습은 "명시적으로 프로그래밍 되지 않고 컴퓨터가 학습할 수 있는 능력을 제공하는 연구 분야"(371)로 설명되는 컴퓨터 과학의 한 분야이다. 즉, 기계학습은 사람이 학습하듯이 컴퓨터와 같은 기계가 인간이 구축한 데이터를 학습해서 새로운 지식을 얻어내는 과정을 말한다.

또한, 기계학습의 역사는 AI 연구의 역사와 직접적으로 맞닿아 있다. 민스키가 AI를 "인간에 의해서 행해진다면 지능이 필요했을 일을 기계가 하게 하려는 연구"(v)라고 정의한 이후로 AI는 일반적으로 인간과 같은 지능을 소유하고 지적인 행위를 할 수 있는 인공물을 만들어내려는 일련의 연구로 이해되고 있다. 그러나 민스키보다 앞서 1950년 앨런 튜링은 "기계가 인간이 계산하는 행위를 흉내 내게 만들 수 있다"(445)고 주장하며, "'생각하는 기계'를 더 인간답게 만들 수 있다"(442)고 말한다. 또한 튜링은 자신의 에세이 「계산 기계와 지능」에서 "기계

학습"(454)을 언급하며 아기의 지능이 다양한 정보를 보고, 듣고, 처리
하는 경험이 축적되며 발달하는 것과 같은 방식으로 특정한 과업 수행
에 대한 컴퓨터의 능력을 증대시킬 수 있다는 관점을 제시한다(Turing
455-458). 하지만 AI라고 해서 모든 지식을 완전히 갖춘 상태에서 만들
어지는 것은 아니다. 기계는 학습을 통해 필요한 지식을 갖추어야 하는
데, 연구자들은 컴퓨터도 인간처럼 스스로 학습할 수 있게 하는 방식으
로 AI를 진화시켜왔다. 그들은 어린아이의 지능이 주변의 정보를 보고,
듣고, 처리하는 경험을 통해 발달하는 것과 같은 방식으로 컴퓨터의 지
능을 개발하고 발전시켜온 것이다.

　　프랑켄슈타인 박사의 지능이 있는 생명체도 많은 아기가 가족의
반복적인 언어의 사용과 행동을 관찰하고 흉내 내면서 언어를 습득하
듯이, 오두막의 나무로 채워진 판유리의 "틈새"(crevice, 58)를 통해 드
레이시스 가족을 비밀리에 관찰함으로써 언어를 배웠다. 처음에는 인
간의 생존에 필요한 간단한 명사인 "불, 우유, 빵, 그리고 나무"(60)를
배운다. 그다음은 그들의 이름인 고유명사, "아가타, 펠릭스"(Agate,
Felix, 60)와 가족관계를 나타내는 명사인 "아버지, 여동생, 오빠, 아들"
(60)을 배우고 다음은 인간의 감정을 표현하는 형용사인 "즐거운, 좋은,
적막한, 불행한"(60)을 배우고 펠릭스와 그의 아버지가 하는 산책을 통
해 자연현상인 "비가 온다"(66)는 단어들을 배운다. 이 지능이 있는 생
물체는 "자신들의 경험과 느낌을 분명한 소리로 서로에게 전달하는 방
식"(60)에 감탄해서 "이것은 진정 신과 같은 과학이었기에 나도 그것을
터득하고 싶은 열망이 가득했다"(60)고 말한다. 그래서 열심히 언어를
습득하지만 아직 "맑은 영혼"(62)이나 "경이로운"(62)과 같은 추상적인

표현을 이해하지는 못한다.[3]

　그러던 어느 날 이 생물체는 펠릭스의 연인이자 "이방인"(63)인 사피(Safie)가 펠릭스의 말을 되풀이하면서 소리를 따라 하는 것을 발견하고, 자신도 "그들의 말을 배우려고 애쓰면서"(64) 같은 방식으로 단어를 반복하고 연습해서 배운다. 학습 과정에서, 이 지능이 있는 생물체는 아라비아 여인인 사피의 학습 과정과 자신의 학습 과정을 비교하면서 자신이 "아라비아인보다 더 빨리 향상되었어. … 말하는 거의 모든 단어를 이해했고 흉내 낼 수 있었지"(64)라고 말한다. 이것은 인간이 학습하는 속도보다 기계가 학습하는 속도가 훨씬 빠르다는 것을 시사한다. 그리고 그는 말솜씨가 좋아지는 동안, 또한 "문자라는 과학"(65)도 배웠다. 그것은 펠릭스가 사피에게 콩스탕탱 프랑수아 드 샤스뵈프, 볼네 백작(Constantin François de Chasseboeuf, comte de Volney)의 『제국의 잔해』(*Ruins of Empires* 1791)를 읽어주면서 "상세한 설명"(65)을 했기 때문이다. 그 생물체는 학습을 통해 외부 세계를 파악하고 참/거짓, 옳음/그름, 좋음/나쁨 등의 점점 더 추상적인 사고를 하게 된다. 또한 이 생물체는 『실락원』과 『베르테르의 슬픔』을 읽음으로써 인지·정

3　정태순의 「유아 언어습득 연구」에 따르면, 아이들의 언어습득 과정은 다음과 같다.

　　단일단어 발화의 사용은 8개월경에 시작해서 꽤 오래 지속되다가 20개월경에는 단일단어의 수가 가속도로 증가하는데 특기할 만한 사실은 이 시기에 두 단어(예: 아빠 거, 아빠 좋아)가 간혹 출현하기 시작한다는 것이다. 피관찰자는 단일단어 시기에 한 단어와 함께 동작, 표정 등을 사용하여 다양한 의사소통을 하였다. 언어기능 중, 초기 단어 시기에는 명령(대상, 행위요구)하기, 정서(감정)표현하기, 지시하기가 나타났고, 후기에 이르러 명령과 지시 기능과 대립되는 거부하기·주장하기·질문하기·부르기·대답하기 등이 나타났다. 피관찰자의 이 시기의 품사별 어휘 출현 순서를 보면 명사 〉 동사 〉 형용사 〉 감탄사 순으로 되어있는 것을 알 수 있다. (32-33)

서적 발달 과정을 보여준다. 생물체는 세상에 존재한 후, 기계처럼 쉬지 않고 곧바로 많은 양의 정보를 배우고 습득하여 처리한다.

　호주 국방군 아카데미의 뉴사우스웨일스 대학교 내에 있는 국방 및 보안 기술 그룹, 엔지니어링과 IT 학교의 교수인 제이 갈리엇(Jay Galliott)은 셸리의 창조물의 이와 같은 학습 과정은 "지능 있는 기계의 출현과 관련이 있다"(126)고 주장하면서 창조물을 "지능이 있는 생명체"(intelligent being, 126)라고 묘사한다. 놀랍게도 셸리는 기계학습을 개발하기 전에 이 방법을 탐구했다. 프랑켄슈타인 박사의 창조물은 오두막 사람들을 관찰하고 책을 읽음으로써 "언어에 대한 지식"(64)을 습득하게 되고, 이 과정을 통해 그는 "생명이 불어 넣어진 생물체"에서 인간 세상의 다양한 정보를 학습하여 생각하고 추론할 수 있는 "지능이 있는 생물체"로 재창조된다고 재해석될 수 있다. 이 지능이 있는 생물체는 기계 지능의 구현체로서 소설 전반에 걸쳐 알고리즘이 코드화되거나 프로그램화되듯이 인지능력을 형성한다. 한편 펠릭스는 이 기계 지능을 코드화하고 프로그램화하는 인물, 즉 AI의 시스템인 알고리즘 시스템을 구축하는 프로그래머의 역할을 하고 있다.

　현재, 기계학습은 검색어와 관련된 문서들을 '기계처럼' 길게 나열하던 검색 엔진들이 인간의 질문을 마치 '인간인 것처럼' 이해하고 직접 답변하는 방식이다. 이처럼 지능을 갖춘 기계가 인간과 대화하고, 이를 통해 인간이 자신의 지적 능력이나 활동을 재조정하는 일들이 점점 보편화되고 있다. AI는 지식을 학습하는 차원을 넘어 이를 정리하여 다시금 인간에게 제공하고, 마치 인간인 것처럼 인간과 대화하듯이 서로 의사소통하는 모습을 보인다.

우리는 점점 더 우리 삶의 중요한 측면에서 "알고리즘이 의사결정"(Diakopoulos 206)을 하는 세상에 살고 있다. 오늘날 AI는 프랑켄슈타인 박사가 탄생시킨 '지능이 있는 생물체'와 마찬가지로, 태어나는 것이 아니라 상황에 따라 만들어지고 있고, 그것은 인간의 인지기능을 넘어서고 있다. 인공지능이 의식을 가지고 있고 그것의 처리 능력이 인간보다 훨씬 뛰어날 미래가 있을 수 있다. 그렇다면 우리는 어떻게 알고리즘을 구현할 것인가?

우리는 기본적으로 컴퓨터를 데이터를 저장하고, 읽고, 수학적 절차를 제어된 방식으로 적용하고, 새로운 정보를 출력물로 제공하기 위해 고안된 알고리즘 기계라고 생각할 수 있다. 하지만 생각건대 이런 절차들은 아마도 수작업으로 할 수도 있을 것이다. 사실, 알고리즘은 명시된 계산에 근거하여 입력 데이터를 원하는 출력으로 변환하기 위해 "부호로 처리된 절차"(Gillespie 167)이고, 컴퓨터 언어의 알고리즘의 문법은 "이러한 일이 발생할 수 있도록 명령어 구조를 구현한다"(Gofey 17). 크리스토퍼 스타이너(Christopher Steiner)에 따르면 자동화된 알고리즘은 "두 가지 단순한 기능의 합, 즉 교란할 가능성 플러스 교란에 대한 보상"(Steiner 119)이다. ―그리고 연산 및 프로그래밍 관점에서 "알고리즘 = 논리 + 제어"(Goffey 15)이고 "순전히 공식적인 이성의 존재"(Goffey 16)라는 것이다. 또한 닉 시버(Nick Seaver)는 다음과 같이 지적한다.

> 알고리즘 시스템은 독립형의 작은 상자가 아니라 수백 개의 손이 그 상자에 닿고, 약간 수정하여 조절하고, 부품을 교환하고, 새로운 배열로 실험하는 거대하고 네트워크화된 시스템이다. (10)

알고리즘 자체는 눈에 보이지 않지만 이미 '소프트웨어'라는 덩어리의 형태로 사회의 전 영역에 깊이 침투해 있다. 뉴욕 시립대학교의 컴퓨터 과학 교수이자 뉴 사우스 웨일스 센터의 뉴욕 센터 컴퓨터 과학 교수인 레브 마노비치(Lev Manovich)는 다음과 같이 주장한다.

> 소프트웨어는 21세기 이전에 창조하고, 저장하고, 배포하고, 그리고 상호작용하기 위해 사용되었던 다양한 물리적, 기계적 그리고 전자장치와 관련된 기술을 문화적 인공물로 대체해버렸다. 그것은 세계, 타인, 그리고 우리의 기억과 상상력에 대한 우리의 인터페이스가 되었다—그것을 통해 세계가 말하는 보편적 언어, 그리고 그것에서 세계가 작동하는 보편적 엔진이 되었다. (69)

"인간의 의미를 갖는 코드"(Marinai 218)는 "일반적으로 코드가 기계 안에 숨겨져 있어 보이지 않을지라도, 그것은 세계에 가시적이고 물질적인 효과를 낼 수 있다"(Dodge 69). 이것은 디지털 기술이 발전하면서 모든 것이 컴퓨터, 즉 알고리즘으로 다룰 수 있도록 '소프트웨어화'(softwareized)하면서 일어난 자연스러운 현상이다. 소프트웨어는 현대 사회에 모든 사회적·경제적·문화적 체계의 기반이 되는 동시에 모든 것을 하나로 엮어내는 "보이지 않는 접착제"(the invisible glue, Manovich 6)이다. 물론, 소프트웨어가 작동 과정에 개입하지는 않지만 인간과 알고리즘이 완전히 분리된 것은 아니다. 자동으로 작동하는 연산의 규칙을 사전에 정의하는 것이 바로 인간이기 때문이다. 결국 알고리즘의 설계자는 바로 인간이다. 사실, 알고리즘은 인간의 논리에 따라, 설계자의 세계관에 부합하는 방식으로 운용될 수밖에 없다. 이런 의미에서 알고리즘은 사이먼 마리나이(Simone Marinai)가 언급했듯이 설계자가 부여한 인간의 의미를 가진 코드를 담은 "기호 체계"(Griffiths 218)이다.

구글의 엔지니어인 프랑수아 숄레(François Chollet)는 "우리 지능의 대부분은 우리의 뇌 안에 있는 것이 아니라, 우리 문명으로 외면화되었다"(Chollet web)고 주장한다. 프랑켄슈타인 박사의 창조물 또한 오두막의 드 레이시 가족의 일상과 사람들이 읽는 책을 통해 역사와 문화를 배우면서 지능이 있는 생명체로 문명화되고 외면화된다. 이것은 과학적 실험을 통해 탄생한 존재가 자연의 세계에서 인간의 세계로의 이동을 의미한다. 이러한 물리적·정신적 이동은 과학적 실험을 통한 신체에 대한 상상력뿐 아니라 언어와 문화의 습득을 전제로 한다. 그리고 인류의 지식은 공동체의 합의를 바탕으로 역사 전반에 걸쳐 축적되며, 개인은 긍정적이든 부정적이든 "문화적 산물"(Aiello 33)로서의 지식을 내면화한다. 인간의 학습은 자신의 관점에서 사회적으로 "맥락화된 지식"(Keengwe 287)을 내면화하는 과정이라 할 수 있다. 기계학습 또한 본질을 들여다보면 인간이 역사적으로 쌓아온 편향성을 학습하고 내면화하는 과정이기도 하다. 하지만 기계학습은 인간의 학습 과정과 견주어볼 때 유사한 속성들이 있으나, 몇 가지 측면에서 결정적인 차이를 보인다.

특히 이러한 차이는 다량의 데이터축적이라는 시간상으로 선행하는 사건을 필수적으로 전제한다. '과거를 들여다보는' 시간성이 정보처리 과정에서는 작동하지만, 정보를 확인하고 조절하는 과정에서는 작동하지 않는다. 이것은 자기반성성이 빠져있다는 점에 기인한다. 이 때문에 기계학습은 어떤 부분에서는 인간의 인지 능력을 초월하지만, 또 어떤 부분에서는 인간과 유사한 인지 능력을 절대 모방할 수 없는 것처럼 보이기도 한다. 이것은 프랑켄슈타인 박사의 지능을 지닌 생물체가 학습 능력은 인간보다 뛰어나지만, 과거에 대한 기억을 소환해서 자아 성찰을 통한 자기반성의 결여와 가치판단의 부족을 보여주는 것과 같다고 할 수 있다. 결과적으로 이 지능을 지닌 생명체는 인간에 의해 창조되었기 때문에 그는 아마도 인간의 부정적인 면들을 학습하는 과정에서 결코 벗겨낼 수 없을 것이다.

3. 길가메시 프로젝트와 프랑켄슈타인 박사

AI가 인간을 넘어설 수 있을 것인가?
인간은 그들이 인간의 지배 아래에 있기를 바란다.

오늘날, AI의 가능성에 대해서 부정적인 견해와 AI를 옹호하는 견해 크게 두 가지로 나뉜다. 즉 적절한 입력과 출력을 갖춘 프로그램만 있다면 어떠한 체계든지 그리고 그것이 무엇으로 만들어졌든지 문자 그대로 마음(지능)을 갖는다고 주장하는 "강한 AI"(strong AI, Searle 184)의 옹호자와 이보다는 좀 신중하게 컴퓨터는 인간의 마음을 모방할 수 있으므로 마음을 연구하는 데 유용하게 사용될 수 있다고 주장하는 "약한 AI(weak AI, Searle 184)의 옹호자가 있다. 약한 AI에 대한 논제는

"약 AI가 아름다운 것이라면 강 AI는 그야말로 어리석다"(Bringsjord 재인용 35)라고 주장하는 셀머 브링스조드(Selmer Bringsjord)를 비롯하여 후버트 드레이퍼스(Herbert Dreyfus), 존 서얼(John R. Searle), 테리 앨런 위노그라드(Terry Allen Winograd) 그리고 로저 펜로즈(Roger Penrose)뿐만 아니라 대부분의 약 AI 옹호자들에게 받아들여지고 있다. 또한 튜링 이래 대부분의 AI 옹호자들은 "기계가 생각할 수 있을까?"라는 물음에 긍정적으로 대답하려는 한스 모라벡과 로드니 앨런 브룩스(Rodney Allen Brooks)와 같은 강한 AI 옹호자들이기 때문에 강한 AI의 성공 여부가 우리의 주된 관심사가 될 것이다.

사실, 작품 속에서 프랑켄슈타인 박사는 지식을 추구하고 "새로운 종"(a new species, 25)을 창조하기 때문에 강한 AI를 옹호하는 태도를 보여준다고 할 수 있다. 반면에 그는 "지식의 습득을 간절히 바랐지만"(31) 인간 삶의 윤리적, 도덕적, 예술적 측면을 포함한 다른 학문 분야와 삶의 영역을 간과하는 모습을 보인다. 메리 셸리는 소설 전반에서 과학자로서 프랑켄슈타인 박사의 인문학적 소양과 통찰력 부족이 불러오는 상황들을 제시하는 반면 발트만(Waldman) 교수의 조언을 통해 학제 간 통섭을 통한 진정한 과학자의 모습에 대한 메시지를 전달한다.

> 천재들의 노고는 아무리 그릇된 길로 이끌리더라도, 궁극적으로 인류의 확고한 이익으로 돌아서게 하는 데 실패하는 일은 거의 없지. … 자네의 적용 능력만큼 노력한다면, 자네가 성공할 거라 믿어 의심치 않네. 화학은 자연철학의 분야이고 … 나는 이 분야

를 특별히 연구했지. 하지만 동시에 학문의 다른 분야도 게을리 하지 않았다네. … 자네가 한낱 치졸한 실험주의자가 아닌 진정한 과학자가 되기를 소망한다면, 수학을 비롯하여 자연철학의 모든 분야를 섭렵하라고 권유하고 싶네. (22)

프랑켄슈타인 박사는 지식의 추구와 이제까지 발견되지 않은 새로운 것을 탐구하고 싶은 욕망이 있다. 그는 부(富)에 관해서는 관심이 없지만, "내가 인간의 몸에서 질병을 내쫓고 인간을 폭력적인 죽음 이외의 어떤 것에도 끄떡없게 만들 수 있다면, 그 발견에 어떤 영광이 따를 것인가!"(27)라며 죽음을 정복하고 자신을 숭배할 존재의 종족을 창조하는 등 자신의 연구가 성공하면 연구에 대한 일련의 가설을 세우거나 상상의 결과를 명확히 하고 있다. 이것은 유발 하라리(Yuval Noah Harari)가 자신의 저서인 『호모사피엔스: 인류의 짧은 역사』(*Sapiens: A Brief History of Humankind* 2014)에서 다음과 같이 주장한 것과 같다.

왜 길가메시 프로젝트[4]가 과학의 대표작인가. 그것은 과학이 하는

---

4 고대 메소포타미아 수메르의 전설적인 왕 길가메시는 죽음을 없애버리려는 원대한 포부를 실현하기 위해 기나긴 항해를 떠나지만, 결국 불사와 영생을 얻는 데는 실패한다. 인류 최초의 문학으로 인정받는 '길가메시 서사'는 영생을 향한 인류의 욕망을 빗대는 이야기로 곧잘 일컬어진다. 그런 점에서 구글 자회사 칼리코(Calico)가 추진하고 있는 노화 극복과 생명연장 기획의 이름이 '길가메시 프로젝트'인 것은 그다지 놀라운 일은 아니다. 하지만 영생을 향한 열망만으로는 불멸의 비결을 손에 쥘 수 없던 고대의 영웅과는 달리 오늘날 과학기술이 추진하고 있는 '길가메시 프로젝트'는 생명연장의 가능성을 이미 실현하는 데 이르렀다. 유발 하라리는 '길가메시 프로젝트'가 모든 과학기술의 주력 상품이 되었으며, 앞으로 이를 막는 것은 불가항력이라고

모든 것을 정당화하는 역할을 한다. 프랑켄슈타인 박사가 길가메시의 어깨에 업혀 가고 있다. 길가메시를 막는 것은 불가능하므로 프랑켄슈타인 박사를 막는 것도 또한 불가능하다. (351)

프랑켄슈타인 박사는 자신의 성공적인 연구 결과에 너무 몰두하게 되어 뉴턴(Isaac Newton)이 인용한 "거인의 어깨 위에 서 있다"[5]는 것을 잊어버리고, 그 대신 자신이 연구하고 있는 과학과 연구의 결과에서 소유권에 대한 지나친 자부심을 느끼고 있다. 이러한 태도는 과학사에서 계속해서 일어나고 있으며, 과학 발전을 저해한다. 과학에서 지식은 누구에게도 소유될 수 없다. 지식은 공유되어야 하고, 의문을 품어야 하며, 그 바탕 위에 세워져야 한다. 여기서 프랑켄슈타인 박사는 과학자로서의 자신의 능력에 길을 잃는다. 그는 지식이든 생명이든 자신이 새로운 것을 창조할 수도 있지만, 자신이 진정으로 그러한 창조물의 주인이 아니라는 것을 잊고 있다. 또한 비밀리에 생명창조에 대한 실험을

단언한다. 용맹 하나만으로 정진했던 수메르의 길가메시와는 달리, 오늘날 길가메시의 어깨에는 프랑켄슈타인 박사가 목말을 타고 있다는 것이다. 하라리는 인류의 영생을 향한 오랜 욕망 위에 역사 최초로 이를 가능하게 하는 '지적 설계'가 작동하고 있다고 진단한다. 그는 이러한 판단을 근거로 인류의 미래를 '사피엔스의 종말'로 전망한다. (http://www.newsmin.co.kr/news/35228/)

5 거인의 어깨 위에 서는 것은 "앞서갔던 주요 사상가들이 얻은 이해를 지적으로 발전시키기 위해 이용하는 것"을 의미하는 은유이다. 그 말은 거인의 어깨 위에 서 있는 난쟁이를 비유한 말로, "이전의 발견에 기초하여 진리를 발견한다"는 의미를 표현하고 있다. 이 개념은 샤르트르의 베르나르드 덕분인 12세기까지 거슬러 올라간다. 이 것의 가장 친숙한 표현은 1675년 아이작 뉴턴이 쓴 것이다. "만약 내가 다른 이들보다 더 멀리 봤다면 그것은 거인의 어깨에 올라섰기 때문이다." (https://en.wikipedia.org/wiki/Standing_on_the_shoulders_of_giants)

선택한 프랑켄슈타인 박사의 과학자로서의 행보는 지리적·사회적으로 자신의 가족, 친구, 동료로부터 자신을 고립시키고 열띤 연구와 생명창조의 시기에는 누구와도 서신을 교환하거나 자기 생각을 공유하지 않는다. 고립은 프랑켄슈타인 박사가 자신의 비열하고 사회적으로 받아들일 수 없는 프로젝트를 수행하는 것을 가능하게 한다.

프랑켄슈타인 박사는 또한 "… 시도에서 '부분의 최소성'을 과장하고 있다. … '속도'를 위해 창조적인 정밀성을 희생하려는 의향 … 즉, 그는 그것의 ('아주 더럽고', '흉물스러운') 세부 사항에 대해 노골적으로 무시한 채 생명을 잉태한다"(Hustis 848). 앨런 라우치(Alan Rauch)에 따르면, 프랑켄슈타인 박사는 "연결된 생물의 분류법에서 사실을 배열하는 느리고 단계적인 과학의 과정"(234)을 무시하고, 그는 자신의 야망과 자부심으로 부주의하게 생명체를 창조한다. 또한 그는 "현재 내 명령 안에 있는 재료들이 너무 고된 작업에 거의 적합해 보이지 않았다. … 결국 내 작업은 불완전할 수도 있다"(25)며 생명체 창조행위를 주저하면서, "자신의 과제의 '규모와 복잡성'을 인정하고 그에 따라 책임감 있는 창의성을 실천하는 것을 꺼리는"(Hustis 848) 모습을 보인다.

프랑켄슈타인 박사가 "놀랄 만큼 다양한 지식을 보유하고 있다"(Rauch 228)는 것은 의심하지 않지만, 과학 분야의 지식만 성취했을 뿐, "우리가 우리의 존재와 연관 짓는 많은 특별한 속성, 즉 감정, 윤리, 의식, 그리고 창의성이 부족해서"(Walsh 5) 인공 생명체의 설계를 실패한 것이다. 사실, 프랑켄슈타인 박사는 지식을 추구하는 과정이 아니라 생물체를 창조하는 과정에서 과학기술에 대한 자신의 과신과 서두름을 후회해야 하는데, 지식을 추구한 것만을 후회하고 있다. 이것은 그가 자신이 무엇을 간과했는지에 대한 통찰력이 부족하고 진정한 자아 성찰을 하지 못한 것임을 드러낸다. 만약 그가 자신의 피조물을 만드는 것의 윤리적 결과를 심각하게 고려했고, 이러한 고려가 그의 자만심과 개인적인 성공에 대한 욕구를 능가했다면, 그가 실험을 진행하지 않았을 가능성은 존재한다.

억제되지 않은 과학적 진보에 대한 공포는 과학자의 개인적, 직업적 발전에 대한 주의의 필요성과 더불어 과학자들이 과학 연구를 시작하기 전에 윤리적인 문제를 고려하기 위한 자기 성찰에 관여할 필요성을 강조한다. 과학자들의 책임은 그들의 창조물이 나오기 전에 관여되어야 한다. 그렇지 않으면, 그 결과는 철회될 수 없다. 도덕적인 양심을 지닌 과학자들은 자신들의 학생, 동료, 그리고 대중에게 과학적인 결과의 악의적인 사용에 대해 경고할 자신들의 책임을 인지한다. 프랑켄슈타인 박사의 고뇌는 어떤 결과가 나오든 순수한 연구라는 명분으로 실험 결과물의 도덕적 질을 떨어뜨리는 과학자들에 대한 경고이기도 하다.

프랑켄슈타인 박사의 창조물은 자신의 창조주인 프랑켄슈타인 박사에게 "나는 자비롭고 선량했지, 하지만 비참함이 나를 악마로 만들었어. 나를 행복하게 해줘, 그러면 다시 유덕해질 거야"(53)라고 말하듯, 창조물이 인간을 살해하는 괴물이든 인간에게 유용할 수도 있는 미래의 인공지능이든 창조물이 작동하는 방식은 그것을 창조하는 과정에서 창조자의 결정에 달려있다. 결국, 우리가 AI를 만드는 방법과 그것을 사용하는 방법이 바로 그것이 우리와 함께 세상에 존재하는 방식이기 때문이다. 따라서 AI의 생산이 도덕적인 방식으로 이루어지도록 미래를 준비하는 것이 우리의 의무이자 과제이다.

3장

사무엘 베케트의 『게임의 끝』: 초연결-융합형 증강인간 비전*

1. 초연결-융합형 증강인간: 햄과 클로브

오늘날의 기술은 인간의 정신이나 신체를 직접 겨냥하여 인간의 본성을 변화하고 '증강'하기 위한 "우리의 '내부'를 향한"(신상규 129) 기술이다. 보스트롬의 「트랜스휴머니스트 FAQ」("Transhumanist FAQ version 2.1" 2003)에 따르면 인간의 정신적, 육체적 능력을 향상하기 위해 과학과 기술을 이용하는 생각을 "트랜스휴머니즘"(transhumanism, 4)이라고 한다. 그리고 조엘 가로(Joel Garreau)는 트랜스휴먼을 "포스트휴먼이 되어가는 과정에 있는 사람들"(Wolfe 재인용 xiii)이라고 묘사

---

* 3장은 『영어권문화연구소』 11-2호(2018)에 실린 "A Posthuman Vision: Transhuman Characters Between Humans and Posthumans from Samuel Beckett's *Endgame*"을 우리말로 번역, 확장한 것이다.

한다. 그리고 보스트롬의 「트랜스휴머니스트 FAQ」에서 포스트휴먼은 "기본적인 능력이 현존하는 인간의 능력을 너무나 급진적으로 능가해서 우리의 현재 기준으로는 더 이상 명료하게 인간이라 부르기 어려운 발생 가능한 미래의 존재"(5)로 해석될 수 있다.

또한 트랜스휴머니스트 연구자들은 현재의 인간종이 인간종 발전의 궁극적인 형태가 아니며, 노화를 제거하고 인간의 정신적, 육체적 역량을 적극적으로 향상하기 위해 과학기술을 사용함으로써 인간의 조건을 근본적으로 개선하는 것이 바람직하다고 주장한다. 보스트롬은 트랜스휴머니즘 운동을 "우리에 관해 귀중한 것을 정의하는 것은 인간의 모습이나 현재의 인간 생물학의 세부 사항이 아니라, 오히려 우리의 열망과 이상, 우리의 경험, 그리고 우리가 이끄는 삶의 종류"(Bostrom 4)라고 정의한다. 한편, 프랜시스 후쿠야마는 "생물학 무기를 이용한 테러 행위의 출현을 살아있는 위협"(Hukuyama xiii)이라고 경고하면서, 기술적 정체성에 초점을 맞추고 있다. 특히 그는 세 가지 범주, 즉 '인간배아 복제', '약물에 의한 인간의 감정 조절과 향상', 그리고 '줄기세포에 의한 수명 연장'이라는 기존의 자연적인 인간의 정체성을 위협하고 있는 문제를 제기하고 있다(18-83).

미래인간과 트랜스휴먼의 비전은 21세기의 가장 강력한 패러다임이다. 트랜스휴먼의 관점에서 보면, 베케트의 희곡『게임의 끝』은 기술을 이용하여 인간의 몸을 재창조할 새로운 가능성을 무대 위에서 극화한 것으로 볼 수 있다. 다시 말해, 극 중 인물의 신체 일부를 기계로 대체하는 트랜스휴먼의 형상을 무대에서 실현한 것이라 할 수 있다. 그리고 우리는 베케트의『게임의 끝』에서 천한 기생 곤충 중 하나인 "벼룩"과 "포유류"(34) 중에 가장 고귀한 인간 사이의 명확한 구별을 흐릿하게 하여, 동물과 인간 그리고 인간과 비인간, 다시 말해 인간과 무생물 그리고 현존하는 인간과 미래인간 사이의 "단층선"("the fault line, Shepherd-Barr 256)에 있는 트랜스휴먼에 대해 생각할 수 있다. 베케트는 『게임의 끝』에서 햄(Hamm)과 클로브(Clov)의 관계를 인간과 비인간 혹은 인간과 프로스테시스 간의 협력 관계로, 그리고 햄의 부모인 넬(Nell)과 내그(Nagg)를 유전자 공학의 발달로 수명이 연장된 인간으로 재해석함으로써, 우리가 그 안에서 트랜스휴먼을 조우하게 한다.

자연의 역사 속에서 건축, 기계와 같은 전통적인 기술로 인간 주변의 물질적 조건을 개선함으로써 우리의 삶을 향상하는 방향으로 진화를 거듭해온 인간이 이제 자신의 육체와 정신을 기술의 대상으로 삼고 있다.[1] 탄생부터 죽음에 이르는 과정에서 인간의 몸과 정신의 한계를 극복하려는 시도는 늘 있었다. 하지만 포스트휴먼은 그동안 불가능하다고 생각했던 영역에서도 인간의 특성(characteristic)이나 능력(capacity)의 한계를 변경하려고 시도한다는 측면에서 다르다. 생물학자인 줄리안 헉슬리(Julian Huxley)는 '유기체'(organic)와 '비유기체'(nonorganic)를 결합하는 신기술의 발견을 통해 과학기술의 발전이 인간을 향상하게 할 것이라고 주장한다(Stanley 재인용 198). 그리고 미래학자인 호세

---

1 트랜스휴머니스트는 인간의 생물학적 진화는 끝났으나 기술적 진화는 막 시작됐다고 믿는다. … 다위니즘이 생물학적 진화를 논한다면 트랜스휴머니즘은 기술을 통한 진화를 주장한다. 기술을 통한 진화는 적자생존이 아니다. 기술은 값싸기 때문에 누구나 혜택을 받을 수 있고 기술의 개발속도는 엄청 빠르다. … 기술이 얼마나 발전할지 가늠하기조차 힘들고, 이를 통해 인간이 진화하지 않는다고 믿는 게 오히려 이상하지 않은가. (호세 코르데이로, ≪신동아≫)

루이스 코르데이로(Jose Luis Cordeiro)는 포스트휴먼의 도래에 대해 다음과 같이 예언한다.

> 호모사피엔스는 지구상에서 자신의 진화와 한계를 의식하게 되는 최초의 종이며, 인간은 이러한 제약을 초월하여 강화된 인간, 즉 트랜스휴먼과 포스트휴먼이 될 것이다. 이 과정은 유인원에서 인간으로 느리게 진화하는 과정과는 반대로, 애벌레가 나비가 되는 것처럼 빠른 과정일 수도 있다. (Cordeiro 237)

근대과학이 성립할 당시 프랜시스 베이컨(Francis Bacon)은 과학과 기술을 통해 아담 이래 잃어버린 에덴동산을 되찾는다는 생각에서 유토피아가 만들어질 수 있다고 생각했다(Dresner 9). 그리고 이제 인간은 "한 사회의 중요한 요소들이 완전히 개발되면, 유토피아 자체는 사회가 어떤 모습일지 보여주기"(Ko 재인용 113) 때문에 과학과 결합한 기계 기술의 발전이 유토피아를 만들 수 있지 않을까 하는 희망을 품게 되었다. 인간의 역사만큼이나 오래된 생물학적 한계와 조건을 넘어서려고 노력하면서, 우리는 트랜스휴먼을 향해 가고 있고 머지않아 초연결 시대의 미래인간을 분명히 맞이할 것이다. 우리는 이 미래가 유한한 인간의 한계를 뛰어넘는 초연결-융합형 증강인간의 '장밋빛 세계가 될 것인가', 아니면 조지 오웰의 『1984년』이나 올더스 헉슬리의 『멋진 신세계』가 그려낸 '암울한 세계가 될 것인가'라는 의문을 제기할 필요가 있다.

베케트는 '『게임의 끝』에는 어떤 사건도 일어나지 않는다. 모든 것은 유추와 반복에 기초한다'고 묘사했다. 린다 벤-즈비는 베케트가 인간과 인간이 아닌 동물과 관련하여 종에 대한 새로운 이해의 가능성을 수행하는 것은 바로 연극 분야에서 행해져 왔던 것처럼 '인간중심주의에 대한 비평'에서였다고 시사한다. 또한 울리카 모테는 모든 인류가 새롭게 도약할 수 있는 『게임의 끝』의 클로브의 '벼룩'처럼, 베케트의 작품은 인간의 범주에 특권을 부여하는 역할을 해온 의식, 의도적인 주관성, 언어 등 '모든 주요 전제에 의심'을 던진다고 표현한다. 『게임의 끝』의 인간과 인간이 아닌 동물성 사이의 연속성에 대한 이러한 성찰은 인간의 자기 정의에서 동물이 하는 역할을 드러낼 뿐만 아니라, 인간이 되는 것이 무엇인지에 대한 더 많은 성찰을 불러일으킨다. 이것은 차례로 현대의 문화 안에서 동물과 비인간을 생각하는 새롭고 중요한 통찰력을 제공한다.

또한 퀘이송은 『게임의 끝』이 '언어와 문맥과 관련된 언급 사이의 비 일치성의 정도는 텍스트가 행동의 다양한 요소들과 함께 알레고리적 또는 실제로 형이상학적 식별을 장려하는 정도'에서 볼 수 있고 작품에 대한 다양한 해석의 가능성은 '언어의 파편적인 성격과 그것이 호기심을 돋우듯 알레고리적이라는 사실이 의미를 추구하기 위한 행동의 조각들을 끊임없이 조립하고 재조립하려는' 학자들의 시도와 노력이 있었기 때문이라고 말한다. 본 글 또한 『게임의 끝』을 초연결-융합형 증강인간의 알레고리적 재현으로 해석하여 트랜스휴머니즘의 개념을 중점적으로 다루면서 초연결-융합형 증강인간의 출현으로 야기된 정체성의 위기에 대한 통찰력을 제공하고자 한다.

베케트의 『게임의 끝』은 무대 위에 소품이 별로 없고, 분위기는 전체적으로 어둡고 무채색에 가깝다. 무대장치의 미학적 관점에서 보면 베케트는 "표현주의"(expressionistic, Buning 59)[2] 기법을 사용하고 있다. 『게임의 끝』의 무대는 "인간의 두개골"(Sidney 61)을 표현하고 있으며, 두 개의 눈 모양을 한 창문은 인간의 눈 모양을 하고 있다. "가장 기본적인 것만 갖춘 내부"(1)는 개인이 경험했던 지식, 정보, 기억으로 가득 차 있었음이 틀림없는데, 이제는 그런 두뇌에 있던 모든 것들이 인간의 두뇌와 연결된 컴퓨터, 즉 외부 정보 시스템에 다운로드 되어버린 텅 빈 인간의 두뇌임을 표현하고 있다. 따라서 이러한 인간의 두뇌 상황을 무대에 외면화한 것으로 보면 작품의 의미는 달라질 수 있다.

또한 『게임의 끝』은 기승전결을 갖춘 잘 짜인(well-organized) 극이 아니라 문제 중심적인(problem-centered) 극이기 때문에 극은 부조리극, 특히 포스트모던 부조리극으로 볼 필요가 있다. 현재 21세기의 포스트모던 부조리 현상 중의 하나는 과학기술의 발달로 인해 인간과 동물, 인간과 비인간, 현존하는 인간과 미래인간 사이의 '단층선'에 서 있는 인간과 그 인간을 둘러싼 환경 사이에서 발생한다. 특히, 베케트가 오늘날 과학기술의 발전이 가져올 미래를 어떻게 그려내는지 고민하면

---

2 표현주의(exexpressionism)는 사실주의나 자연주의에 대한 극단적인 반응으로 강렬한 개인적 기분, 사상, 감정의 압박으로 격렬하게 왜곡된 세상을 제시하는 문학 또는 시각 예술 모드의 총칭이다. "이미지와 언어는 따라서 외부의 현실을 나타내기보다는 감정과 상상력을 표현한다. 표현주의 문학에서 … 표현주의의 공통 관심사는 기계화된 현대 세계의 표면 아래에서 비이성적이고 혼란스러운 힘이 분출되는 것이다. 더 나아가서, 이 용어는 문학작품이 본질적으로 작품의 작가들의 기분과 생각의 표현이라는 믿음에 적용되기도 한다." (Baldick 90)

서 보아야 한다. 『게임의 끝』의 첫 대사인 클로브의 "끝났어, 끝난 거야, 거의 끝난 거지"(1)는 이 연극의 중요한 핵심을 이루고 있다. 이 대사는 알레고리적인 해석의 관점에서 인간과 동물, 인간과 비인간 사이의 경계가 흐릿해졌기 때문에 인간의 시대는 끝났고, 지금은 트랜스휴먼의 시대이며 결국은 새로운 인간종의 시대인 '초연결'(Hyper-connected) 시대가 올 것임을 암시하고 있다.

연극의 시작과 함께 햄은 "바퀴 달린 안락의자"(1)에 앉아있다. 여기서 그의 '안락의자'는 그의 두 다리가 인공다리인 의족으로 대체되는 것을 상징하며, 햄의 눈에 씌어있는 "검은 렌즈의 안경"(1)은 윌리엄 도벨(William Dobelle)이 개발한 "도벨 아이"(Dobelle Eye, Naumann 130)이고, 그것은 사용자가 카메라가 보는 것을 느낄 수 있게 해주는 '촉각적인 눈'이거나, 이전에 저장한 정보와 현재 보는 물체를 자동으로 식별해 일치시킴으로써 사용자의 인지 능력을 향상하는 '보조 눈'인 인공눈이다. 머리에 "빳빳하고 챙 없는 모자"(1)는 뇌와 외부의 정보 시스템을 연결해주는 장치이고, "호각"(1)은 프로스테시스인 클로브를 작동시키는 일종의 버튼장치이다. 그리고 클로브가 사다리를 타고 오르락내리락하면서 두 창문을 통해 바라보는 모든 것을 햄에게 보고하듯이 말하는데, 이것은 클로브를 통해 햄의 다리와 눈 역할을 하는 프로스테시스가 작동장치의 명령에 따라 움직인다는 것을 보여준다. 결국 햄과 클로브의 연기는 인간과 기계가 결합한 초연결-융합형 증강인간, 즉 클로브로 구현된 웨어러블 로봇 슈트(wearable robot suit, Thilmany Web)를 입고 두뇌와 두 눈은 컴퓨터 칩과 연결된 트랜스휴먼인 햄의 움직임을 알레고리화 한 것이다.

앤디 클라크(Andy Clark)에 따르면 인간과 도구로서 기술의 공생은 인간다움을 가능케 하는 근본적인 조건이며, 그 결과 인간은 원래 생물학적 육체(정신)와 기술(도구)이 결합한 사이보그와 같은 존재이다. 즉 사이보그란 생물학적 신체에 기계적 장치가 결합한 존재를 의미한다(Clark 3-8). 마셜 맥루한(Marshall McLuhan)이 "우리 둘 다 기술적으로 수정되어 변경된다. … 이것은 결과적으로 우리 감각의 확장을 일으킨다"(48-57)고 말한 이후로, 많은 학자는 미디어를 인체의 연장선으로 이해했다. 그러므로 컴퓨터는 뇌의 연장선이고 카메라는 눈이며 스피커는 귀이다. 앞으로 기존 컴퓨터는 점차 사라지고 우리 몸이나 피부에 이식된 최첨단 컴퓨터 칩은 보편화되어 인간의 감각을 증강할 것이다. 신경공학, 정보기술, 생명공학이 하나로 "융합되어"(fused) 인간의 신경과 두뇌의 신경회로에 극소형 컴퓨터 칩을 직접 연결하는 것은 자연스러운 진행으로 보인다.

자신의 팔 속의 신경세포와 칩을 직접 연결하는 실험을 했던 영국의 컴퓨터 공학자 케빈 워윅(Kevin Warwick)은 지금은 "기계와 인간이 구별되는 세상을 향해 나아가고 있지만, 나는 그들에게 모든 것을 넘겨주는 대신, 컴퓨터와 더욱 점진적인 공진화를 제안하고 있다"(Web)고 말한다. 즉, 컴퓨터는 더 이상 도구의 개념이 아니라 인간과 분리될 수 없는 미래인간의 주요 부분이 될 것이고 우리 인간은 컴퓨터와 융합되어 증강인간으로 진화할 것이다.

인간종의 진화라는 관점에서 우리가 주목하는 또 다른 분야는 프로스테시스 장치들에 관한 연구다. 그것들은 손상되거나 상실된 몸의 일부 기능을 대체하는 인공장치라고 불린다. 데이비드 윌스(David

Wills)는 그것을 "신체의 다리에서 강철의 다리로"(Youngquist 재인용 165)라고 표현한다. 그러나 생명공학뿐만 아니라 전자·정보기술의 급진적인 발전 덕분에 앞으로 도입될 프로스테시스 장치들은 단순히 장애의 정도를 줄이는 수준을 넘어서 '장애'의 범주를 완전히 무의미하게 만들 가능성이 크다. 첨단의 프로스테시스 장치들은 인간과 도구 사이의 관계를 새롭게 재설정할 것을 요구하고 있다.

인간의 특성을 정의하는 말 중에는 도구를 사용하는 인간을 의미하는 "호모 파베르"(Homo faber, Tester 19)라는 표현이 있다. "도구라는 표현의 외연이 조금 더 확장되고 이해된다면, 호모 파베르가 포착하려고 하는 인간의 특징은 바로 기술을 사용할 수 있는 인간의 능력이다. 전통적으로 도구나 기술의 범주는 그것을 사용하는 대상과 구별되어 몸 밖의 것을 나타내는 것"(신상규 132)으로 이해되었다. 하지만 오늘날 인간이 착용하는 프로스테시스 장치들은 비록 인공적이지만, 거의 이음매 없이 우리 몸과 결합된다. 그리고 이 인공장치들은 인간의 장애를 극복하게 해주는 도구를 넘어서서 후천적으로 갖게 되는 "제2의 신체"(Iverson 160)가 된다.

극 중 햄은 클로브에게 명령만 내리고, 클로브는 햄의 말한 대로 센서를 작동시켜 자신의 몸을 움직인다. 클로브는 단지 햄에게 종속된 기계일 뿐이다. 그는 "자신의 부엌"(2)에 가서 "벽"(2)을 보면서 햄이 "자신에게 호각을 불기를"(2) 기다린다. 여기서 '벽'은 햄의 뇌의 외부 상징이자 컴퓨터와 연결된 화면이다. 클로브는 햄이 호출하여 무언가를 명령할 때까지 화면을 보며 대기하고 있어야 한다. 따라서 햄과 클로브는 인간의 몸과 기계로 구성된 하나의 융합형 증강인간을 극에서 구현한다. 이러한 등장인물들의 설정은 베케트가 트리니티 대학 시절 자신의 지도교수이자 르네 데카르트의 권위자인 아스톤 루스 박사(Dr. Arthur Aston Lece)의 영향으로 인간의 조건을 "육체와 정신이 분리된 반인반수"(황훈성 27)로 통찰하고 있기 때문이다. 잘 알려진 바와 같이 데카르트는 동물을 "살아 있는 기계"(Regan 8) 또는 "비합리적인 기계"(Maude 83)로 간주한다. 왜냐하면 동물은 "살아 있지 않은 기계"(Regan 8)와 확연히 다르기 때문이다.

햄은 첫 번째 대사를 말하기 전에, 그의 얼굴을 덮고 있는 "손수건 밑에서 하품을 한다"(2). 그리고 "나"(2)라는 첫 대사와 함께 두 번째 하품을 하면서 "놀아볼까"(2)라고 말한다. 또한 본격적으로 긴 대사를 하면서 클로브를 호출하고, 클로브가 오기 전에, 즉 프로스테시스 장치가 작동하기 전에 네 번 더 하품을 한다. 이것은 클로브가 모든 육체적이고 물리적인 일들을 해주고, 머리를 사용하여 생각하고 정리할 일들도 뇌에 부착된 기계인 빳빳하고 챙 없는 모자가 다 알아서 해주기 때문에, 할 일 없이 단지 노는 데만 시간을 보내는 인간의 무료함이나 지루함의 표현이다. 특히 클로브와 놀이를 시작하기 위해, 햄이 "안경을 벗고, 눈과 얼굴과 안경을 닦고, 안경을 다시 끼는"(2) 행동은 일종의 컴퓨터가 부팅되어 프로스테시스 장치가 작동되기를 기다리는 행위라 할 수 있다. 요컨대 다음의 대화는 햄과 클로브의 관계를 분명하게 보여준다.

> **클로브** 평생 똑같은 질문에, 똑같은 대답이야.
>
> ......

햄 너는 왜 나와 함께 지내는 거지?

클로브 당신은 왜 저를 데리고 있죠?

햄 다른 사람이 없으니까.

클로브 갈 곳이 없으니까요. (5-6)

그리고 인간의 몸에 부착된 채 작동되는 기계인 "작은 파편"(12)에 불과한 클로브는 자신의 부엌에서 벽을 바라보며 "저는 저의 빛이 죽어 가는 것을 보고 있어요"(12)라고 말하는 것은 새로운 사향의 프로스테시스 장치가 개발되면서 자신의 용도가 점점 쓸모없어지고, 결국은 자신이 그것과 교체될 것이라는 예견을 하고 있기 때문이다. 반면에 인공 눈과 인공다리를 한 햄은 뇌조차도 AI 컴퓨터와 연결되어 있어 잠들지 못한다. 그래서 자연으로 돌아가 자신의 다리로 달리고 자신의 심장에서 피가 돌아 뇌까지 흐르게 되기를 꿈꾸며 자신의 눈으로 하늘과 땅을 보고 싶어 한다.

햄 내가 잠들 수 있다면, 사랑할 수도 있을 텐데. 난 숲속으로 들어갈 거야. 내 눈은 볼 거야. … 하늘과 땅을. 나는 달리고, 또 달려서 사람들이 나를 잡지 못하게 할 거야.

   ......

   내 머리에서 뭔가가 한 방울씩 떨어지고 있어.

   심장, 내 머릿속에 심장. (18)

하지만 현실에서 햄은 "우리는 제대로 된 휠체어가 필요해. 큰 바퀴 달린. 자전거 바퀴!"(25)라고 말하며 더 발전된 프로스테시스를 원한다. 이것은 햄이 그의 다리의 기능을 향상하기 위해 더 진보된 프로스테시스를 원한다는 것을 보여준다. 가까운 미래에 개발될 프로스테시스나 몸에 부착하거나 착용하여 사용하는 전자장치인 웨어러블 장치는 주로 신체적 장애를 극복하는 데 사용되는 장치로 한정될 것이다. 그러나 이러한 장치들이 본격적으로 상용화되면 신체장애가 없는 '정상인'들도 자신들의 신체적 운동기능이나 감각기능을 강화하기 위해 이 장비들을 구입하려 할 것이다.

그리고 햄은 벽에 자신의 손을 대고 "옛 벽이군!"(25)이라고 말한다. 오래된 벽은 기존 인간의 뇌다. 하지만 "저 너머에는 … 다른 지옥이 있지"(26)이라고 말한다. 햄이 말하는 '지옥'은 인간을 비롯한 생물학적으로 온전한, 자연 그대로의 것은 하나도 없는 "0"(29)의 상태가 되어버린 자연 속에 인간과 동물, 그리고 생물과 무생물의 경계를 넘어 융합된 증강인간들만이 존재하는 세상을 암시한다. 그리고 벽은 "속이 텅 빈 벽돌!"(26)로 쌓여 "모든 것이 텅 비어 있다"(26). 외부의 정보통신이 컴퓨터와 그의 두뇌를 연결해 이미 그의 지식과 경험을 업로드했기 때문에 햄의 뇌는 텅 비어 있고, 햄의 뇌에 이식된 "뇌-컴퓨터 인터페이스"(Brain-computer interfaces, BCIs)[3](Chung 외 1647)가 그의 "두뇌 신호를 이용해서"(Chung 외 1647) 컴퓨터 화면의 커서와 프로스테시스를 직접 제어할 수 있게 해준다.

또한 햄은 중앙에 집착하며 클로브에게 "나의 자리"(26)는 "정중

---

3 두뇌-컴퓨터 인터페이스는 어떤 터치패드나 키보드가 없는, 순수한 사고만을 의미한다.

앙"(26)이라며 자신이 중앙에 있는지 그에게 계속 물어보고, 클로브는 "재볼게요"(26)라며 "줄자"(27)까지 이용하여 정중앙에 그를 위치시키려 한다. 그러는 동안 클로브가 햄의 "의자 뒤에"(27) 있으면, 햄은 "거기 있지 마, 넌 나를 오싹하게 한단 말이야"(27)라며 불안한 모습을 보이고, 클로브를 "그의 자리"(27)인 자신의 "의자 옆으로"(27) 보낸다. 이것은 프로스테시스가 바로 옆에 없거나 보이지 않으면 자유롭게 신체활동을 할 수 없는 트랜스휴먼의 불안감을 보여주는 대목이라 할 수 있다.

21세기의 과학기술은 전체를 조망할 수 없을 정도로 복잡해서 제대로 조정하고 통제하는 것은 거의 불가능해 보인다. 특히 인터넷은 분산된 네트워크 기술을 가지고 있어서 세계 누구라도 끼어들어서 추적할 수 있으며, 그것의 본질적인 분산성 때문에 그것을 통제하기가 쉽지 않다. 더욱이 네트워크를 구성하는 "개별적 구성 요소들"(Minoli 4)이 너무 많고, 또한 그 요소들은 자유롭게 움직이고 유연하고 빠르게 변화하고 있다. 이들이 만든 네트워크는 전체의 중심점이 없고 감시와 통제의 중심이 없는 시스템이다. 햄이 중앙을 고집하는 이유는 이 중심이 존재하지 않기 때문이기도 하다.

그리고 햄은 클로브에게 지난밤에 자신의 가슴 속에 "큰 상처"(a big sore, 32)가 있는 것을 보았다고 말하자, 클로브는 "쳇! 심장을 보았군요"라고 대꾸한다. 그러자 햄은 "아니야, 그게 살아있던데"(32)라고 말한다. 이제, 그의 심장조차도 인공 심장으로 이식된 것이다. 여기서 햄은 인간을 실험 대상으로 보는 기술 과학자가 등장하고, 기계공학을 이용해 무엇을 하고 있는지 인식하기 시작한다.

햄 궁금해.

(멈춤)

만약 어떤 이성적인 존재가 지구로 돌아오는 걸 상상해보자, 그가 우리를 충분히 오랫동안 관찰한다 해도, 자신의 머릿속에 생각을 갖는 게 쉽지는 않을 거야.

(이성적인 존재의 목소리)

아, 좋아, 이제 그것이 뭔지 알겠어, 그래, 이제 그들이 뭘 하는지 알겠어!

(클로브는 놀라서 망원경을 떨어뜨리고 양손으로 자신의 배를 긁기 시작한다. 정상적인 음성).

그리고 거기까지 가지 않고서는 우리 자신이 …

(감정에 겨워)

… 우리 자신도 … 어떤 순간에 …

(열정적으로)

어쩌면 그 모든 것이 헛되이 되지는 않을 거로 생각해! (33)

기계 기술자들이 인간의 몸을 더욱 진화시켜 두뇌를 비롯하여 인간 신체의 모든 감각기관에 컴퓨터 칩을 연결하고, 뇌 속의 정보를 컴퓨터에 완전히 업로드하여 그의 뇌가 AI와 완전히 공진화하면, 이제 햄의 감각기능과 인지 능력은 더욱 증강하게 될 것이고[4] 클로브의 눈은

---

4 이필렬에 논거에 의하면 생물적인 인간 조직이 상당부분 프로스테시스로 대치된 초연결-융합형 인간이 출현할 가능성이 있다.

구식이 되어서 쓸모없는 프로스테시스가 될 것이다. 햄이 클로브에게 자신은 눈을 감고 잠시 잠을 잔 후에 "나는 더 좋아질 거"(36)라고 말하며, 클로브 역시 눈을 감았다 다시 뜨면, "더 이상 벽이 없을 것"(36)이라고 말한다. 이것은 햄이 진화했을 때 클로브의 기능도 개선될 것임을 암시한다. 알고리즘은 인간의 두뇌와 연결된 벽 없이 클로브 자신에게도 입력될 것이다. 결론적으로 클로브는 인공지능형 로봇, 즉 "인간의 얼굴을 하고 인간의 행동을 하는 인공적인 '복제품'"(Birnbacher 155)이 될 것이다.

　　반면 클로브가 햄에게 떠나겠다고 말하자, 햄은 그에게 "너는 우리를 떠날 수 없다"(37)고 답한다. 클로브는 햄이 아니라 우리 인간을 떠나지 못하는 것이다. 만약 햄이 죽으면 클로브는 또 다른 인간의 프로스테시스가 되기 때문에 클로브는 결국 인간을 떠날 수 없는 것이다. 더구나 클로브는 프로스테시스인 기계이기 때문에 햄의 명령에 복종하지 않을 수 없기에, 햄이 "이거 해라, 저거 해라 하면, 저는 그렇게 합니다. 저는 절대로 거절하지 않아요. 왜죠?"(43)라며 햄에게 묻는다. 하지만 햄은 "아 피조물들, 피조물들, 그들에겐 모든 것을 설명해야만 하지"(43)라고 불평하며 프로스테시스에 명령어를 하나씩 입력하는 것을

현재 신경공학과 인공생명 연구자들의 두뇌연구가 결실을 맺어 두뇌의 작용이 상당히 밝혀지면 이 두뇌 속에 극소 컴퓨터를 삽입하여 두뇌의 신경세포와 연결할 수 있게 될 것이고, 그러면 인간의 두뇌는 기억능력의 한계에서 벗어나 좀 더 완전한 두뇌 쪽으로 나아갈 수 있는 것이다. 세포 수준에서의 연결이란 세포와 인공물 사이의 정보소통이 세포들 사이의 소통과 똑같이 이루어지는 상태, 즉 세포로 구성된 조직과 인공물이 기능상의 차이가 없는 '동등한' 상태를 말한다. 인공물의 연결은 두뇌뿐만 아니라 인간 신체의 모든 조직에서 가능할 것이다. (226-227)

못 견뎌 한다. 클로브는 입력된 명령어로만 움직이며, 햄이 잘못된 명령어를 입력하면 클로브는 그것을 이해할 수 없어 작동하지 않는다. 따라서 클로브는 "저는 당신이 가르쳐주었던 단어들을 사용하고 있어요. 만약 그 말들이 더 이상 아무런 의미가 없다면, 나에게 다른 말들을 가르쳐 주세요. 그렇지 않으면 내가 잠자코 있게 내버려 두세요"(44)라고 격렬하게 대응한다.

앞으로 인간의 두뇌 속 신경의 화학적 작용과 심지어 인간의 감정까지도 인지하는 생명공학 기술이 발달하면, 아주 작은 형태의 컴퓨터 칩이 인간의 뇌에 내장되어 뇌의 신경에 명령이 전달되면, 감정의 변화가 일어나게 되고, 감각기관과 사지가 움직일 것이다. 여기서 이 컴퓨터 칩은 데카르트의 철학에서 중요한 데카르트의 송과선에 해당한다. 송과선은 인간의 두뇌 중심부에 있는 분비샘이며, 『게임의 끝』에서 햄은 그것을 "정수리의 숨구멍"(50)이라고 부른다. 데카르트의 관점에서 이 분비샘은 "영혼의 주된 자리이자 모든 생각이 형성되는 곳"(143)이다. 데카르트는 몸과 마음이 송과선을 통해 의사소통하기 때문에 그것을 둘러싸고 있는 많고 작은 동맥은 동물의 정신으로 가득 차 있다고 여긴다(Olsen 280). 또한 동물은 "심장에 빛이 없는 불 하나만으로 혈액을 가열하는 기계적 효과"(Schmaltz 231)로 혈액순환과 동물 정기의 움직임을 일으켜 모든 생리적 기능을 수행하는 "자동장치 또는 움직이는 기계"(Ross 65)이다. 데카르트는 "빠른 움직임으로 인해 바람이나 불꽃과 비교되는 동물 영혼들 … 매우 고운 바람, 또는 오히려 아주 생동감 있고 아주 순수한 불꽃을 '동물 정령'이라고 부르고"(Lærke 116) 그것을 동물의 정기로 이해했다.

그에 따르면 자신의 심장에서 한 방울의 피가 뇌의 작은 동맥을 통해 송과선으로 흐른다. 그리고 거기서 인간의 감정과 사상이 형성되고, 인간의 감각이 인지되고, 인간의 팔다리와 감각기관이 움직이는 것이다. 반면에, 증강인간의 뇌는 혈액이나 고운 바람이 아니라 뇌에 내장된 칩이 자신의 감정에 관여하고 몸을 움직이도록 명령한다. 그리고 『게임의 끝』에서, 햄의 뇌는 컴퓨터와 연결되어 있지만 아직 칩이 그의 뇌에 심겨 있지 않아 핏방울이 동맥을 통해 심장으로부터 그의 송과선에 도달해서 생기가 돈다.

> 햄 머릿속에서 뭔가 흐르는 것 같아.
>
> (멈춤)
>
> 심장, 머릿속에 심장.
>
> . . .
>
> 정수리부터 쭉 내 머릿속에 뭔가 흐르고 있어.
>
> (내그의 억제된 웃음)
>
> 첨벙, 첨벙, 항상 같은 자리에서.
>
> (멈춤)
>
> 어쩌면 약간의 정맥피일 거야.
>
> (멈춤)
>
> 약간의 동맥피일지도.
>
> (멈춤, 더 생기가 돌아서)
>
> 그거면 족해요, 이야기 시간이에요, 제가 어디까지 얘기했죠?
>
> (50)

인간의 신체는 기계적인 접근을 통해 얼마든지 조작될 수 있다. 정형외과 수술, 신경외과 수술, 성형수술 등 모든 수술은 기계적인 조작이라고 불릴 수 있다. 그러나 만일 우리가 이제 그것에서 벗어나 화학 물질의 작용으로 정신세계를 설명할 수 있고, 정신세계의 감정의 변화가 인간의 뇌 속의 화학 물질의 작용으로 일어난다면, 우리는 인간의 뇌 속의 화학 물질의 작용을 조작함으로써 감정의 변화를 조작할 수 있을 것이다. 그래서 결국 인간은 몸과 뇌를 포함한 전신을 자유롭게 조종할 수 있다고 생각할 수도 있다. 우리가 이 단계에 도달하게 된다면, 유전자를 변형시키고 신경세포를 다른 기계장치로 대체하여 융합형 증강인간이나 "맞춤 아기"(designer baby, Paul x) 같은 것을 만들 수 있을 것이다. 작품에서, 증강인간인 햄은 아버지 내그에게 완벽한 맞춤 아기로 낳아주지 않았냐고 따지듯 "불한당! 왜 저를 낳았나요?"(49)라고 묻는다. 그리고 이제 햄은 그에게 "우리는 끝났어요"(50) "더 이상의 담화는 없을 거예요"(50)라고 말한다. 이제 초연결-융합형 증강인간은 뇌 속의 화학 반응까지도 조절하고 컴퓨터 칩과 센서로 대화를 하므로, 위의 햄의 대사는 인간의 목소리를 가진 기존 인간 언어로 하는 대화가 사라지고 기계를 사용하는 새로운 인간종의 언어인 기계언어로 이야기를 주고받을 것임을 암시한다.

2. 유전자 조작과 수명 연장: 내그, 넬, 그리고 어느 광인

『게임의 끝』에서, 클로브의 두 번째 대사는 생명공학 기술로 만들어진 많은 유전자 조작 농작물과 동물이 자연에 퍼질 경우 나타날 생태계의 변화에 대한 알레고리적 재현이다. "곡식 알갱이 위에 알갱이, 하나씩, 그리고 어느 날 갑자기, 곡식 한 무더기, 작은 더미, 믿기 어려운 더미"(1)는 유전자 조작을 통해 변형된 농작물이 엄청나게 자라는 것의 알레고리이다. 또 햄은 인간의 유일한 "안식처"(3)로서의 자연도 "도구"(3)로 사용되어, 유전자 변형과 핵 개발로 인해 폐허가 되었기 때문에 "이제는 끝낼 시간"(3)이라고 말한다. 이제 인간이 물질을 마음대로 분해하고 융합시킬 수 있으며, 유전공학의 발달로 인공 생명체까지 만들 수 있게 될 것이다. 그러나 이 과정에서 몇 가지 문제가 발생할 수 있다. 슈퍼작물과 슈퍼가축이 유전자 조작으로 만들어지면 그것의 양과 질이 좋아서 작물과 가축의 다른 종들이 모두 사라질 정도로 널리 퍼지게 될 위험이 있다.

더구나, 이런 슈퍼작물과 슈퍼가축만 재배하고 키우면 동식물의 다양성이 없어질 수 있다. 식용작물이나 가축의 경우에는 "개조된 우성 형질의 품종이 다른 품종을 몰아내고 지배종이 된 후 슈퍼병충해에 걸릴 경우 이들 품종이 전멸"(이필렬 236)되는 일이 벌어질 수도 있다. 종의 다양성이 사라진 상황에서, 전염병이 도래할 때, 슈퍼작물과 슈퍼가축은 전염병을 이길 수 없을 것이다. 하지만 만약 종들이 다양할 때는, 어떤 종들은 박테리아에 의해 공격을 받았을 때 다른 종들은 살아남을 수 있다. 다시 말해, 한 종만이 존재하는 경우 치명적인 박테리아에 의해 공격을 받는다면, 그 모든 종은 멸종될 수 있다는 것이다. 예를 들어 햄과 클로브의 대사에서 우리는 자연이 곡식의 씨앗이 더 이상 싹트지 않고 자라지 않는 상황을 직면하는 것을 보게 된다.

> 햄   씨앗이 싹텄니?
>
> 클로브   아니요.
>
> 햄   싹이 텄나 보려고 씨앗 주변을 파헤쳤니?
>
> 클로브   그것들은 아직 싹이 트지 않았어요.
>
> 햄   아마 아직 너무 이른 거겠지.
>
> ...... (13)

현재, 유전공학자들은 지금까지 종이라는 테두리 속에 확고히 자리 잡고 있던 생물 종들을 모호한 것과 뒤섞어서, '새로운' 생명공학 기술로 초기 배아를 유전적으로 조작하고 설계하고 있다. 미국의 분자생물학자인 리 실버(Lee Silver)는 300년 후에는 유전적으로 섞일 수 없는, 다시 말해 서로 생식이 불가능한 "다른 후임자 종"(other successor species, Birnbacher 154)이 등장할 것이라는 매우 섬뜩한 예측을 새로운 종의 비전으로 제시한다. 그가 예상하는 기술은 인공적으로 염색체 쌍을 만들어, 그 속에 원하는 모든 유전자를 집어넣어서 핵 속에 주입하는 것이다. 그렇게 되면 '설계된' 사람의 염색체 쌍의 수는 23개가 아니라 24개가 될 것이다. 그러나 이 사람은 23개의 염색체 쌍이 있는 기존의 인간 종과 들어맞지 않기 때문에 서로 번식할 수 없을 것이다. 결국, 세대에 걸쳐 유전자 '설계'의 누적이 지구상에 다른 인간종을 만들어 낼 것이다. 게다가, 미국의 인공 생명 연구자 한스 모라벡은 진화의 지배자로서 인간 그리고 진화에 대한 인간 지배의 결과로서 인간의 소멸과 인간과 기계가 융합된 새로운 종의 출현에 대해 긍정적인 담론을 제시하고 있다 (Dinello 재인용 4-13).

햄은 "내 아버지?"(2), "내 어머니"(2), 잠시 망설인 후에, "내 …
개?"(2)라고 중얼거리며, 자신의 부모와 심지어 개를 같은 피조물 선상
에 올려놓고 그들의 고통이 똑같다고 말한다. 사실 햄의 첫 대사에서
이런 단어들은 인간과 동물의 경계를 허물어지고 있음을 보여준다. 그
리고 그는 위풍당당하게 "사람이 더 클수록 더욱 속이 더 가득 차게 되
지"(3)라고 말하더니 우울하게 "그리고 더 텅 비게 되는 거지"(3)라고
마무리한다. 이것은 디자인된 슈퍼인간이 보통 인간보다 우월하지만
평범한 인간과 결합하여 자신의 종족을 번식시킬 수 없으므로, 결국은
위에서 언급한 슈퍼작물이나 슈퍼가축처럼 사라질 수밖에 없다는 것을
의미한다. 그리고 클로브가 "벼룩"(33)이 있다고 말하는 순간, 햄은 매
우 당황하며 "인류가 다시 거기서 처음부터 다시 시작될지도 몰라! 그
놈을 잡아, 제발!"(33)이라고 외친다.

베케트는 인간의 신체에 연결된 클로브의 몸 안에 있는 '벼룩'의
존재를 통해 현재 인간, 기계 그리고 동물과 융합된 새로운 종의 출현
을 암시하고 있으며, 새로운 종이 출현하면 인간인 햄과 프로스테시스
인 클로브가 소멸하리라는 것을 암시한다. 그래서 햄은 클로브에게 "뗏
목"(34)을 만들고 "멀리 떨어져, 다른 … 포유류에게"(34) 가자고 말한
다. 이것은 곧 초연결 시대가 도래할 것이고, 자신들이 여기서 멀리 떠
나야 한다는 것이다. 어떤 의미에서 "인간은 최근의 발명품인데 … 바
다가 모래사장에 그려놓은 얼굴처럼 사라질지도 모른다"(Foucault 422)
라는 푸코의 유명한 예언처럼 인간이란 글자가 초연결 시대라는 파도
가 밀려와 사라질지도 모른다.

햄은 또한 클로브에게 확대경으로 땅을 보라고 말한다. 그것은 눈

의 기능을 확장하는 것이다. 클로브가 확대경으로 밖에 있는 땅을 보고
또 보지만 여전히 "0 … 0 … 그리고 0"(29)일 뿐이고, "아무것도 꿈쩍도
안 하고. 모든 것이- … 송장이 되어있다"(29, 30). 유전자 변형과 원
자력의 발달에 따라 자연의 가장 내밀한 부분인 물질세계마저 인간에
의해 도구로 이용되어, 지상의 있는 것들이 대부분 죽어있는 상태다.
그리고 햄은 클로브에게 바다를 보라고 하지만 바다 역시 "똑같이"(30),
"0"(31)의 상태이고, 파도는 "납빛"(31)이다. 그리고 태양은 "가라앉고"
(31) 있으며, "옅은 검은색이 … 극에서 극까지"(32) 색조를 띠고 있어
세상은 온통 "회색빛"(31)으로 "땅거미"(31)가 지고 있다. 여기서 '땅거
미'는 초연결 시대로 접어드는 인간종의 '전환기'를 상징한다.

밖의 빛은 인간의 시대에서 초연결 시대로의 이행이기 때문에 선
명할 수 없으며, 지구상의 자연은 모두 개발되어 도구로 사용되어 '극에
서 극까지'의 '회색'은 에릭 드렉슬러(Kim Eric Drexler)의 "그레이 구"
(Gray goo)[5]를 연상시킨다. 심지어 햄은 클로브에게 물질이 존재하고

---

5 그레이 구 시나리오는 자기 복제가 가능한 나노 기계가 무한한 증식을 통해 지구 전
체를 뒤덮는 상태를 나타내는 가상의 지구 종말 시나리오이다. 이 시나리오는 분자
나노기술의 선구자로 알려진 에릭 드렉슬러(Eric Drexler, 1955~)가 그의 저서 『창조
의 엔진』(Engines of Creation 1986)에서 처음으로 제안했다. 그 책에서 드렉슬러는
'분자를 원료로 사용해서 유용한 거시물질의 구조로 조립해내는 분자 크기의 장치'를
'어셈블러'(assembler: 명령을 기계어로 전환하는 프로그램)라고 명명했다. 어셈블러
는 아주 기본적인 입자인 분자를 재료로 사용하므로 어떠한 물체도 만들어 낼 수 있
다고 여겨진다. 또한 자신을 복제할 수 있는 능력, 즉 자기증식 기능을 갖고 있는 대
부분의 어셈블러는 생물체는 아니지만 생물체의 세포처럼 자기증식이 가능하기 때문
에 기하급수적인 성장을 할 수 있다. 드렉슬러는 이러한 "인간의 힘으로 통제 불가능
한 자기복제 때문에 돌이킬 수 없는 전 지구적 재앙이 발생할 수 있다"고 예상했다.
(https://ko.wikipedia.org/wiki/%EA%B7%B8%EB%A0%88%EC%9D%B4_%EA%B5%AC)

움직이는 "모든 공간이 시체 냄새를 맡는다"(46)고 말한다. 그러자 클로 브는 그 말끝에 "전 우주"(46), 즉 천지가 시체 냄새를 맡고 있다고 덧 붙인다. 지구상에 존재하는 모든 종이 변형되어 지금은 우주의 모든 것 들이 썩어가고 있다고 말하는 듯하다.

특히 『게임의 끝』에는 "세상의 종말이 왔다고 생각했던 미치광이" (44)가 등장한다. 햄이 그에 대해 언급한 것에 따르면, 그는 창문을 통해 "쑥쑥 자라는 옥수수"(44)와 "청어 선단의 돛대들"(44)을 보는 순간, 그는 구석진 곳으로 돌아간다. 그가 "질겁한 채"(44) 보았던 것은 전부 "잿더미"(44)뿐이었다. 광인이 단지 창밖으로 보았던 모든 것들이 자연 그대로의 농작물이나 물고기가 아니라 이종교배로 유전자가 변형된 것 이었기 때문에 모두 잿더미라고 생각했다. 그러므로 이것은 유전적으로 설계된 슈퍼작물과 슈퍼물고기의 출현을 알리기 위한 것이다. 그리고 "화가이자 판화조각가"(44)인 광인은 아도르노의 표현에 나오는 "특수개별자"(das Besondere, Thompson 93)와 같은 인물로, 그는 "예술의 특수성"(the specificity of art, Thompson 93)을 정의할 수 있게 해주는 "특수한 인물"(the particular, Thompson 93)이라고 규정할 수 있다. 예술가로서, 그는 트랜스휴먼 시대에 인간의 고유한 특성을 유지하고, 트랜스휴먼으로의 변신을 거부하는 인물이다. 햄이 이런 광인을 좋아한다고 말하자, 클로브는 그에게 "정말 끔찍한 일이 너무 많아. … 인생 내내 똑같은 어리석은 짓거리만 해대니"(44, 45)라며 말대꾸한다. 마치 기계가 인간에게 너희 인간들이 매일 반복적으로 아무 의미 없이 하는 '기계적인' 일들이 끔찍하고 어리석다고 말하는 것처럼 들린다.

한편 인간의 생명이 연장될 수 있는 이 시점에서 일반적으로 수명 연장이 좋은 것으로 간주하는 문화적 토양은 유전자 조작이라는 수단을 합리적으로 사용 가능하게 만든다. 유전공학자들은 이 유전자들을 조작함으로써 인간의 수명에 관련된 유전자들을 식별하고 인간의 수명을 조절하려고 노력한다. 『게임의 끝』에서, 프로스테시스와 연결되어 움직일 수 있는 젊은 노인 햄은 "붉은 얼굴"(1)을 하고 있지만, 목숨만 붙어있는 나이 많은 노인인 내그와 넬은 핏기없이 백지장처럼 "흰 얼굴"(9)을 하고 있다. 그리고 햄의 부모인 그들은 일거리와 재정적인 능력도 없이 아픈 몸으로 자식에게 의존하며 살아가는 "호모 백세 시대"(Clements 231)에 노인의 모습을 보여주고 있다.

> 내그 나 빵죽 좀 다오!
> 햄 저주받을 놈의 조상!
> 내그 나 빵죽 좀 좀 달라니까!
> 햄 집에 있는 노인들이란! 체면도 남아있지 않고! 마구 먹어대고, 마셔대고, 그저 생각하는 것이라곤 먹는 거뿐이니.
> …
> 클로브 빵죽이 더 이상 없는데요.
> 햄 (내그에게) 저 소리 들려요? 더 이상 빵죽이 없다네요. 더 이상 빵죽을 얻어먹지 못할 거라네요.
> 내그 빵죽 좀 달라니까!
>
> ……
>
> 클로브 나이 먹으면 철이라도 들면 좋으련만! (9-10)

죽음이 존재하지 않는 세상에는 청년이 없는 노인만 있거나, 늙지 않은 나이 든 청년만이 있을 뿐이다. 따라서 그곳에는 오래된 경험만이 있을 뿐 새로운 시작은 없다. 이러한 세계에서 내그와 넬은 재미있는 이야기를 너무 자주 들어서 더 이상 웃지 않는다. 그래서 그들은 "불행하다"(18). 조나단 스위프트(Jonathan Swift)의 『걸리버 여행기』(*Gulliver's Travels* 1726)에는 "절대로 죽지 않는"(never die, Blackford 129) 저주받은 사람들이 등장한다. 현대의 과학 용어를 사용해서 표현한다면, 그들은 세포 속에 죽음을 일으키는 유전자를 지니지 않은 채 태어난 사람들이다. 그들은 죽을 운명인 사람들 사이에서 살면서 아무런 자극도 받지 못하고 내일의 기대감이나 짜릿함 없이 그저 하루하루를 보낸다. 다시 말해, 영원히 살도록 운명지어진 사람들은 삶과 함께 오는 기쁨, 분노, 슬픔, 즐거움의 감정을 전혀 느끼지 못하지만, 죽어야 할 사람들은 인생의 온갖 즐거움을 누리며 살아간다.

미래에, 인간의 수명 연장은 다양한 사회 문화적 문제를 초래할 것이다. 그중에서 가장 심각한 문제는 아이들이 거의 사라져버릴 것이라는 문제이다. 인간이 영원히 산다면 인간의 탄생은 아무런 의미를 가질 수 없다. 이 문제의 더욱 근본적인 원인은 수명 연장의 결과로 오래 살 수 있음으로 인해 생길 수 있는 새로운 생명에 대한 무관심의 증가에서 찾아야 한다. 태어나지 않고 늙은 인간들만 있는 『게임의 끝』에서 클로브는 연극이 끝날 무렵 사다리를 타고 올라가 햄이 명령했기 때문에 "마지막"(78)이라며 망원경으로 "오물"(78) 속에서 "작은 소년"(78)을 발견하는데, 이는 새로운 생명인 아이의 탄생이 아니라 새로운 인간종의 도래를 의미할지도 모른다.

3. 향정신성 의약품: 햄의 진통제

인간의 다양한 감정의 영역 중에는 과학기술의 개입, 특히 약물의 개입으로 감정을 조절하여 조정할 수 있는 부분이 있다. 보스트롬은 감정 영역에서 자기 자신을 잘 통제할 수 있는 인간이 되는 것도 트랜스휴먼의 조건 중의 하나라고 주장한다(Bostrom Web). 반면에 후쿠야마는 정상적인 인간의 약물 사용 목적이 치료가 아니라 강화(향상)라면, 프로작(Prozac)이나 리탈린(Ritalin)과 같은 향정신성 약물을 증강의 목적으로 사용하는 것이 정당화될 수 있는지를 묻는다. 실제로 프로작과 리탈린은 처방이 되는 약이며, 프로작은 우울증 치료제로 사용되고 리탈린은 ADHD(attention deficit hyperactivity disorder, 주의력 결핍 과잉행동장애)에 처방이 되는 치료 약이다(Fukuyama 40-48). 그러나 치료를 위해서가 아니라 향상을 위해서, 즉 치료가 필요한 사람들이 아니라 정상적인 사람들에게 처방되는 것은 문제이다.

부작용은 별개로 하더라도, 이것이 표면적으로 무슨 효과가 있는지를 논의해 보면, 우울증을 앓고 있는 사람들에게 프로작을 처방하면 그들의 기분이나 기운, 열정 따위가 점차 고조될 것이다. 하지만 정상인들에게 처방되었을 때, 그것은 그들의 기분을 훨씬 더 업되게 할 것이다. 다른 한편, 리탈린은 ADHD를 앓고 있는 사람들을 진정시키기 위해 처방되지만, 정상 범위에 있는 사람들에게 처방되면 정상인들은 더욱 차분해질 것이다. 『게임의 끝』에서 햄은 클로브에게 "진통제"(7)를 먹을 시간이 되었는지 끊임없이 묻고 아침저녁으로 진통제를 구별하여 기분을 조절한다. 앞의 원리에 따르면 햄의 진통제는 일종의 '향정신성 약물'이자 더 나아가 '환각제'(Lysergic Acid Diethylamide, LSD)의 알레고리적 재현이다.

> 햄 아침에 그 약들은 기운을 올려주고 저녁에는 진정시키지.
> 그것이 정반대가 아니라면 말이야. (24)

제2차 세계대전은 정신의학의 가치를 고조시켰고 정신과 의사들은 스트레스, 두려움, 신경증적 불안, 그리고 일반적으로 감정이 몇몇 신체적 질병을 일으킬 수 있다는 군인의 경험에 대해 광범위하게 보고했다(Shepard 25). 1950년대 초 역사학자 니콜라스 라스무센(Rasmussen Nicholas)에 따르면, 미국 가정의 의사들은 과도한 긴장감으로 고통받고 신경과민에 시달리는 환자들에게 각성제의 일종인 암페타민(amphetamine)을 정신과 약물로 받아들였다(15). 암페타민 자극제는 정신흥분제(psychic energizers)라고 일컬어지며 불면증, 불안, 식욕 방해 등의 증상과 함께 가벼운 우울증이나 그 측면에서의 기분 문제가 모두 흔하고 쉽게 치료될 수 있다는 개념을 굳혔다.

다양하고 실용적인 의료행위 상위(흥분제)와 하위(진정제 및 최면제) 알약과 정신분석적 접근방법의 일부로서 신경증적 불안의 전염병이라고 여겨지는 것을 치료하기 위해 열망하며 결합하였다. 제약산업은 활력을 불어넣고 마음을 달래는 역할을 하는 알약을 개발, 생산, 마케팅하는 데 오히려 도움이 되었다. 그들은 신속하고 긴장된 사회에 대처하지 못해 불충분하게 쾌락 추구와 물질적 보상이 의학적 문제로 인식되는 새로운 유연한 개념의 우울증을 조장하기 시작했다(Herzber 15-47).

이러한 상태에 대한 치료제로서 덱스트로암페타민(dexamphetamine)과 아밀로바르비톤(amylobarbitone)을 혼합한 것이 덱사밀(Dexamyl)이라는 상표명으로 미국, 영국, 네덜란드에서 똑같이 매우 인기를 끌었다(Healy 61).

제2차 세계대전 후에는 신세대 화학자와 약리학자가 치료제 산업 검진 프로그램의 효율성을 높이기 위해 제약업계와 손을 잡았다. 기술적 관점에서, 회사들은 그들의 실험실에서 발전하여 일련의 커다란 화합물들의 약리학적 특성을 정밀하고 체계적으로 작성할 수 있는 점점 더 정교한 능력을 개발했다. 동시에 과학을 기반으로 한 직접 마케팅은 몸과 마음을 위한 새로운 의약품을 둘러싼 화제를 불러일으키는 데 도움이 되었다. 냉전의 성과 중심의 이념과 문화와 결합하여 활기찬 소비주의와 소비자 욕구를 지닌 전후의 국제 경제 붐은 의약품에 대한 수요를 강하게 자극했다. 현대 의학에서 획기적인 발전을 지속하는 것에 대한 전후의 믿음과 함께, 이것은 1960년대 모든 질병에 대한 알약의 문화를 가져올 것이었다(Herzberg, Healy, Greene, Lesch).

학술 및 산업 실험실에서 향정신성 화합물의 효과에 대한 시험은 가정, 거리 또는 유흥 환경에서 개인과 집단의 시험과 일치했다. 광범위한 화합물에서 선택된 각 사용자 또는 사용자 그룹은 가치 있고 흥미로운 몇 가지 요소에 영향을 미친다. 자기 테스트에 대한 그들의 충동으로, 살림꾼, 사업가, 노동자, 청소년 문화는 거의 자유롭게 치유, 조정, 정신 강화에 이르는 새로운 영역을 탐험했다. 적어도 이러한 상·하향 약들이 건강상의 위험을 형성하는 습관으로 보이기 전까지는, 처방전상의 중독 문제가 증가하는 것은 사회에 대한 사회적 위협으로 여겨졌다. 그러나 이것이 실현되기 전에 새로운 향정신제 세대는 새로운 약속과 희망의 순환주기를 찍어 내서 산란할 준비가 되어 있었다(Shorter, Herzberg, Healy). 처음부터 제약산업은 마음을 위한 최초의 현대적인 경이로움 약으로 정신분열증의 진정제인 클로르프로마진(Largactil®)과 진통·진정·혈압 강하제인 레세핀(Serpasil®)의 특성을 강조하고 기존의 진정제와 차별화하는 데 가장 큰 도움이 되었다. 이 새로운 치료학적 측면을 포착하고 진정제와 구별하기 위해 적절한 과학자들은 1956년부터 클로르프로마진 및 레서핀을 주요 신경안정제로 분류하기 시작했다(Pieters 381-383).

'새로운' 신경안정제의 분화는 클로로프로마진과 레세핀이 또 다른 유망한 합성 분자인 환각제 LSD에 의해 유발된 정신병에 대항한다는 관찰에 자극을 받았다. 화학적 정신 질환과 임상적 정신 질환 사이의 관계를 제시하면서, 이 관찰은 뇌 연구, 정신의학과 심리 치료의 놀라운 잠재력을 가진 약물의 지평을 열었고, 1960년대 말까지 '광기의 화학'으로 대중에게 알려졌다(Pieters 393-395). 의사와 환자 모두 신약을 열심히 구했다. ≪포춘≫(Fortune) 지는 미국이 "본질적으로 정상적인 사람들"이 일상생활의 스트레스를 해결하고 극복할 수 있도록 허용하는 "원하는 대로 선택하는 사회"를 눈앞에 두고 있다고 발표했다(Herzberg 48).

제약업계는 바이오 옵티미즘의 고조되는 흐름과 마인드 컨트롤 알약에 대한 욕구 증가뿐 아니라 정신장애진단통계매뉴얼(Diagnostic and Statistical Manual of Mental Disorders, DSM)을 이용한 마케팅 잠재력을 가장 먼저 인식했다. 미국의 제약회사 엘리 릴리(Ely Lilly)가 앞장서서 새로운 항우울제 프로작(fluoxetine)을 1987년에 출시하였다. 프로작(Prozac)은 우울증 심리학에서 혁명으로 제시되었다. 최근의 과학적 증거에 기초하여, 뇌 신경전달물질 세로토닌의 감소가 우울증에서 입증되었다. 그리고 플루옥세틴은 선택적으로 뇌의 세로토닌 수치를 정상으로 회복시킨다고 주장되었다. 이 비교적 단순한 기질 수준과 뇌 분자의 기계론적 모델은 공식적으로 '뇌의 10년'이라고 선언된 것에서 다소 간단한 치료의 궤적을 약속했다(Healy 42-45).

뇌 화학의 혁명과 치료적 돌파를 약속한다는 마케팅 메시지가 다소 빠르게 포착됐다. 프로작의 도입에 따른 사건들의 순환은 릴리의 마케터들을 깜짝 놀라게 하기도 했다. 프로작을 억제력을 낮추고 외향적이고 자신감 있는 행동을 증가시키는 등 성격과 사회적 성과에 기적적인 변화를 일으키는 경이로운 약으로 칭송하면서, 피터 크레이머(Peter Kramer)의 '프로작에게 경청하는 것'은 과대광고를 하는 전 세계적인 알약을 만드는 데 도움을 주었다. 크레이머는 소비자들이 새로운 '화장품 정신의학 시대'에 접어들었다고 주장했다. 프로작 소비자가 되기 위한 선택은 자기 기분 조절과 건강함을 설계하기라는 자신만의 선택으로 제시되었다. 이 마인드 알약이 효과를 발휘하게 하는 것은 환자와 의사 사이의 치료 계약이 아니라 깨끗한 뇌 의학의 우수한 치료력에 대한 개별 소비자의 믿음이었다(Herzberg, Pieters).

허구적인 이야기지만, 자기 선택과 자기 수리의 이 이미지는 대단한 섹스어필을 했다. 프로작은 새로운 뇌과학을 대중화하는 유망한 도구로 시작했지만, 처방전대로 건강함을 얻을 수 있는 또 다른 세대의 화학 소비재였다. 1994년 프로작은 궤양 문제 치료제인 잔탁(Zantac)

다음으로 많이 팔린 약이었다. 프로작과 세로토닌은 둘 다 가정적인 단어가 되었다. 그것은 현대적인 두뇌 개입의 전형이자 현대적인 느낌의 좋은 도구가 되었다. 더욱이 프로작은 1950년대와 1960년대에 예고된 모든 병든 문화에 대해 알약의 재등장을 알렸다. 미국과 영국, 네덜란드는 1970년대 후반과 1980년대 후반의 주기적인 경기 침체 이후 1990년대에 처방에 따른 정신운동의 소비가 강력한 성장 패턴을 회복한 것에 대해 우려하고 있다(Rasmussen, Pieters, Herzberg).

그동안 우울증 유병률은 공동 진화하고 계속 상승했다. 불안과 사회 탓의 시대는 우울의 시대로 넘어갔고 자신의 뇌를 탓했다. 1950년대와 1960년대의 신경증적 불안과 비슷한 방식으로, 현대적이고, 특히 선진화된 서구 국가들에서는 우울증이 전염병적인 비율로 성장했다. 20년 이내에 치료해야 하는 우울증을 앓고 있는 인구의 비율은 평균적으로 5배 증가했다. 2009년에는 일반 인구의 5% 이상이 되었다(Barber, Dehue). 개인용 최적화 도구의 새로운 시대가 도래할 거라는 크레이머의 주장과는 대조적으로, 프로작과 SSRI의 치료 분류군의 다른 약제들은 특효가 없는 무난한 느낌의 좋은 알약인 것으로 밝혀졌다. 이 연구 결과에 대해 토인 피터스(Toine Pieters)는 행복 알약의 시대에 보통의 소비자들에게 하는 일반적인 기분 전환 행위능력은 이 알약에 '마음의 보톡스'라는 꼬리표를 붙여야 한다고 주장한다(71).

이러한 향정신성 의약품에 대한 알레고리로서 『게임의 끝』을 좀 더 진행된 약물사회로 가정해 보면, 햄은 약물 사용에 따라 금요일에 성격이 달라지고, 토요일에는 성격이 더 달라질 수도 있다. 그러면 크레이머의 표현처럼 햄은 마치 얼굴 성형이라도 한 것처럼 약물의 사용에 따라 바뀌는 자신의 성격을 '캐릭터 화장품'이라고 불러도 괜찮겠느냐고 물을 것이다. 그러나 햄이 진통제를 먹을 때가 되면 더 이상 그를 위한 진통제는 없다. 아직 새로운 인간종을 위한 진통제가 만들어지지 않았거나, 인간이 복용하는 진통제는 미래인간에게는 아무런 효과가 없는 것이다. 따라서 예전에 "충분했었던"(71) 햄의 진통제 상자는 이제 "비어 있는"(71) 것이다.

4. 인간과 미래인간 사이의 트랜스휴먼: 햄

햄은 미래인간, 즉 초연결-융합형 증강인간이 되는 꿈을 꾸지만, 그것은 "모든 종류의 환상!"(70)이라고 말한다. 그는 인간종이 스스로 진화하여 원자와 같은 유전자를 변형시켜 완벽에 가까운 새로운 맞춤형 아기를 만들어, 이 새로운 인간종이 만드는 삶을 원한다. 하지만 그것이 다시 '무'(無)가 되리라는 것을 알고 있으므로 그는 삶을 끝내려고 한다. 그래서 그는 클로브에게 "도끼"(77)나 "갈고리"(77)로 쳐서 "나의 관"(77)에 넣어달라고 부탁하지만, 클로브는 "더 이상 관이 없다"(77)고 말한다. 햄은 기계와 융합된 증강인간이기 때문에 "자연사"(24)할 수 없다. 단지 쇠나 강철로 된 '도끼'나 '갈고리'를 사용해서 그를 죽일 수 있을 뿐이다. 이제 햄은 인간으로서 죽음을 맞이할 수 없으므로 관에 안치될 수 없는 것이다.

또한 햄은 화가 나서 클로브에게 "유인원!"(77)이라고 말한다. 햄이 기계인 클로브를 인간종의 기원으로 간주하는 유인원이라고 부른 것이다. 이는 곧 기계와 인간의 경계가 허물어지고, 클로브와 연결된 햄이 이제 인간에서 트랜스휴먼을 거쳐 초연결-융합형 증강인간인 새로운 인간종으로 진화하고 있음을 암시한다. 그러나 햄은 클로브가 떠나기 전에 클로브의 마음에서 몇 마디 말을 원하자, 클로브는 객석, 즉 우리 인간을 향해 그것은 "사랑"(80)과 "우정"(80)이라고 말한다. 연민과 사랑과 우정은 오직 인간만이 느끼는 인간의 '고유한' 감정이라고 여기는데, 아이러니하게도 클로브가 인간들에게 그 감정을 말하고 있다. 마치 워윅이 자신의 팔에 심었던 컴퓨터 칩을 제거한 뒤 "나는 친구가 막 죽은 것 같은 기분이 들었어"(Warwick Web)라고 말했듯이 앞으로 기계가 또 다른 인간의 삶보다 우리에게 더 중요해질지도 모른다.

> 클로브   그건 사랑이야, 그래, 의심의 여지가 없어, 이제 당신은 알죠. 얼마나-
>
> ……
>
> 그것이 얼마나 쉬운 일인지요. 그들이 나에게 말하길, 그것은 우정이라고, 예, 예, 의심할 여지가 없이, 당신은 그것을 알아냈죠. 그들은 내게 여기가 그 장소라고, 멈추고, 고개를 들어 이 모든 아름다움을 바라보라고 말했어요. 저질서! 그들은 내게 말했어요, 자, 너는 야만스러운 짐승이 아니야, 이러한 것들에 대해 생각해봐. 그러면 모든 것이 얼마나 명확해지는지 알게 될 거야. 그리고 단순한지를! 그들은 내게 그들이 얼마나 숙련된 관심을 받고 있는지, 그들의 상처로 죽어가고 있는 모든 것들을 말했어요. (80)

그리고 클로브는 "내가 넘어지면 난 행복해서 울 거야"(81)라며 떠나려고 문으로 간다. 이것은 이제 클로브가 인간과 의사소통할 수 있을 뿐만 아니라 그의 관절까지 움직일 수 있는 프로스테시스로 진화할 것임을 나타낸다. 이제 햄은 자신과 클로브, 다시 말해 자신과 기계가 진정한 하나가 된 것은 아니지만, 자신들은 둘 다 분리될 수 없고 각자 뚜렷한 상호보완적인 능력과 역할을 가지고 있다고 생각하며 진심으로 그와 이야기한다.

> 햄   신세 많이 졌어, 클로브. 너의 노고에 고마워.
> 클로브   (민첩하게 몸을 돌리며) 아, 죄송해요, 제가 신세를 졌지요.
> 햄   우리가 서로에게 신세를 졌다는 것이지. (81)

마지막으로 햄은 "헛된 순간들, 이제 늘 그렇듯이, 시간은 절대로 존재하지 않았는데, 시간이 끝나는군, 심판도 끝났고 이야기도 끝났으니"(83)라고 말하면서 개를 던지고, 자신의 호루라기를 떼어서 객석을 향해 던진다. 그리고 햄은 클로브가 여전히 자신의 프로스테시스기 때문에 "오랜 친구! … 너는 … 남아있구나"(84)라며 마지막 대사를 한다.

주세피나 레스티보(Giuseppina Restivo)는 『게임의 끝』 안에 "베케트의 과학에 대한 아이러니한 암시"(Restivo 103)가 있으며, "베케트는 지식의 본질 및 가능성의 한계에 대한 그의 인식론적인 불안 속에서 과학에 관한 관심을 발전시킨 문인이었다"(Restivo 107)고 말한다. 그러나 베케트는 "과학이나 기술에 대해 직접적으로 주장하지는 않지만, '그것이 어떤 것인가'를 보여주며, … 다시 말해, 기술에 대한 『게임의 끝』에서의 자신의 아이러니를 조준함으로써 인간 상태에 대한 자신의 진단을 객관화한다"(Restivo 109).

4장

스파이크 존즈의 〈그녀〉:
AI의 감성적 친밀함의 기계적 재현

1. 스마트 도시와 기술의 친밀함

우리는 공상과학 소설, 영화, 드라마, 만화 등을 통해 미래를 내다 본다. 과거 우리는 미래였던 2019년과 2020년을 상상해왔으며, 이는 영화를 통해 우리에게 표현되기도 하였다. 예를 들어 필립 K. 딕(Philip K. Dick)의 소설 『안드로이드는 전기 양을 꿈꾸는가?』(*Do Androids Dream of Electric Sheep?* 1968)가 원작인 리들리 스콧(Sir Ridley Scott) 감독의 영화 〈블레이드 러너〉(*Blade Runner* 1982)에서 2019년은 핵전쟁 이후 복제인간의 반란에 무질서로 휩싸인 세상으로 묘사되었으며 현실보다 훨씬 어둡고 암담한 2019년의 모습을 표현했다. 그리고 스티븐 킹(Stephen King) 원작, 폴 마이클 글레이저(Paul Michael Glaser) 감독의 영화 〈런닝맨〉(*The Running Man* 1987)에서 2019년은 폐쇄회

로를 통해 통제받는 사회를 묘사하여 음울한 미래를 그려냈고, 오토모 가츠히로(大友克)가 자신의 만화『폭풍소년』(アキラ 1984)을 영화로 만든〈아키라〉(*AKIRA* 1988)는 제3차 세계대전으로 황폐해진 '2019년 네오 도쿄'가 배경이다. 달로 순간 이동을 하는 초능력자가 활개 치는, 꿈도 희망도 없는 세상이다. 또한 마이클 베이(Michael Benjamin Bay) 감독의〈아일랜드〉(*The Island* 2005)는 2019년 생태 재앙으로 인류가 일부만 살아남았다는 것이 도입부의 배경으로 인간 복제의 문제점을 다루었고, 리처드 매드슨(Richard Matheson)의 단편소설「스틸」("Steel" 1956)이 원작인 숀 레비(Shawn Adam Levy) 감독의〈리얼 스틸〉(*Real Steel* 2011)은 인간 대신 로봇이 복싱하는 2020년을 다룬 영화로 '잔인함이 부족하다'는 이유로 인간복싱은 관객들에게 외면 받고 있다.

이 영화들은 2019년과 2020년을 암울한 미래로 묘사하였는데 이는 사회와 인간에 대한 감시와 통제, 인간의 욕망과 무절제한 윤리가 암울한 미래를 불러온다고 표현하지만, 그보다는 유전자 혁명과 디지털 혁명과 같은 급격한 기술혁명에 기인한다. 공상과학영화에서 미래인간과 미래 사회의 시간적 배경이 되었던 2020년은 절대로 오지 않을 것 같았지만, 우리는 어떤 미래보다 더 미래 같은 숫자인 2020년을 맞이했다. 가트너 리서치 부사장인 브라이언 버크(Brian Burke)는 플로리다주 올랜도에서 열린〈Gartner 2019 IT Symposium/XpoTM〉에서 "2020년 가트너 보고서는 '사람과 그들이 거주하는 공간에 지대한 영향을 미칠 것'으로 예상되는 '사람 중심의 스마트 공간'이라는 아이디어로 정의될 것"(Technologymagazine Web)이라고 말했다. 특히 2020년은 "기술에 능한 사람들이 사람에 대해 교육받은 기술로 대체될" 연도라고 전문가들은 이야기하는데, 이러한 현상을 다중경험(Multiexperience)이라 일컫는다.

다시 말해 다중경험이란 증강현실(Augmented Reality, AR), 가상현실(Virtual Reality, VR), 웨어러블 컴퓨터(Wearable Computer), 멀티센서(MultiSensor)[1]와 같은 기술로의 이동으로 인간이 기술을 인지하는 방식이 변화한 경험을 의미한다(Itwiki Web). 이런 의미에서 이와 같은 추세는 "주변 환경적 경험"(ambient experience, Technologymagazine Web)이 될 것으로 전망된다. 주변 환경적 경험은 '유비쿼터스'(Ubiquitous)에서 더 나아가 사용자가 기기를 인식하지 않은 상태에서 디지털 행위를 하는 컴퓨팅 환경을 뜻하는 '앰비언트 컴퓨팅'(Ambient Computing) 경험이다. 유비쿼터스가 주변에 설치된 기기들이 핵심이 되는 개념이라면, 앰비언트 컴퓨팅은 특정 기기가 아닌 사용자의 행동 방식이 중심이 된다. 예를 들면, 인간이 컴퓨터에 명령하기 전에 주변 환경을 감지해서 상황에 맞춰 먼저 작동하는 것이다.

---

1 증강현실: 실제 환경에 가상 사물이나 정보를 투영시켜 원래의 환경에 존재하는 것처럼 보이게 하는 컴퓨터 그래픽 기술로 〈포켓몬 고〉 게임은 이러한 증강현실을 기반으로 한다.
   가상현실: 현실과 상상의 경계를 초월하는 최첨단 컴퓨터 그래픽 기술로 특정 환경이나 상황을 컴퓨터로 구현하여 참여자가 현실에 가까운 감각으로 가상환경을 경험할 수 있다.
   웨어러블 컴퓨터(착용컴퓨터): 안경, 시계, 의복 등과 같이 착용할 수 있는 형태로 된 컴퓨터. (4차 산업혁명의 이해 Web, http://teachingsaem.cmass21.co.kr)
   멀티센서: 특정한 물질을 '감지'하는 것을 넘어 중앙처리장치가 데이터처리, 저장, 자동보정, 자가진단, 의사결정, 통신 등의 기능을 수행함으로써 대상을 감지하고, 판단을 내려 사물이 반응하게끔 하는 센서. (IoT를 위한 미래의 센서, 스마트센서 Web, http://www.epnc.co.kr/news/articleView.html?idxno=83005)

앰비언트 컴퓨팅은 2017년 월스트리트저널의 테크 칼럼니스트인 월트 모스버그(Walt Mossberg)가 자신의 칼럼 「사라지고 있는 컴퓨터」("The Disappearing Computer")에서 "과학기술은 한때 늘 거치적거렸다. 곧, 그것은 거의 보이지 않을 것이다"(Vox Web)라고 말한 것에서 의미가 잘 나타난다. 즉 미래에는 컴퓨터가 우리의 눈에서 사라질 것이고, 공기처럼 존재하되 느끼지 못할 것으로 전망한 것이다. 가까운 미래에는 하나의 기기를 원격 조작하는 것에서 나아가, 각 기기가 네트워크로 서로 연결되고 공간 전체가 유기적으로 작동하는 하나의 컴퓨터로 발전하게 될 것이다. 이때 사용자는 컴퓨터를 사용하고 있다는 인식 없이 일상 속에 녹아든 컴퓨터를 사용하는 것이다.

앰비언트 컴퓨팅 관점에서, 스파이크 존즈의 영화 〈그녀〉는 과학과 기술이 사람들의 일상생활과 분리되어 있지 않다는 간단하지만 강력한 아이디어에 바탕을 두고 있다. 특히 존즈는 〈그녀〉에서 21세기 AI가 기술적으로 지배적인 미래 세계에 현재 우리의 문화적 태도를 반영하면서, AI 프로그램이 개인의 일상생활에서 할 수 있는 역할을 성찰하고 인간과 기계의 상호의존성을 통찰력 있게 탐구하고 있다. 또한 〈그녀〉는 가상의 존재 즉, 인공적으로 지능적인 행위자가 새로운 차원의 발전으로 건너가도록 돕는 컴퓨터 기반의 "초지능적인(hyper-intelligent)" 버전이라 할 수 있다.

이 영화의 매우 두드러진 점 중 하나는 기술이 사람들 삶의 거의 모든 면에 스며든 것 같은 미래지향적인 도시를 배경으로 한 기술과의 친밀한 관계가 널리 받아들여지는 공간이자 사회이다. 이것은 디지털 마케팅·커뮤니케이션-프로젝트 매니저인 프랭크 밴 헤르트리든(Frank

Van Geertruyden)의 표현대로 "도시가 스스로 삶을 영위하는 생태계로, 끊임없이 움직이는 수많은 살아있는 연결 요소로 구성된"(Web)[2] '초연결-융합형 스마트 도시'의 비전을 보여준다. 특히, 이 상상 속의 영화의 배경은 긍정적이고 심지어 유토피아적인 미래를 암시한다. 인간의 다양한 요구와 기호 그리고 역동성을 지닌 미래형 스마트 도시 모델을 보여주고 있다. 하지만 사람들이 점점 다른 사람들로부터 외면당하면서 사적이고 개별적인 기술로 감정적인 애착을 형성해가고 있다. 이 사람들은 소외감과 외로움을 충족시키기 위해 기술을 그들의 가장 친밀하고, 심지어 성적인 문제를 해결하는 매개자로 사용한다.

시어도어는 'beautifulhandwrittenletters.com'이라는 회사에서 일한다. 배우자, 자녀, 연인 등 다른 사람을 위해 개인적인 편지를 쓰는 일에서 그는 컴퓨터와 구두로 소통하며 편지를 받아쓰고 구두 명령을 내린다. 비록 그 편지들이 손으로 쓴 것이라고 주장하지만, 그 편지들이 만들어지는 과정 중에 시어도어의 손과 이 물리적인 편지들 사이에는 아무런 접촉이 없다. 그가 출퇴근하는 동안, 엘리베이터, 기차, 거리에서 그와 다른 사람들은 이메일을 읽고, 시사 문제를 듣거나 읽고, 정보와 엔터테인먼트를 찾기 위해 그들의 장치와 상호작용한다. 이 정보기술의 흡수는 물리적인 환경과의 관계나 물질적인 환경과의 상호작용을 대체하는 것으로 보인다. 집에서, 시어도어는 비디오게임을 하면서 휴식을 취한다. 등장인물들은 그의 거실에 홀로그램이나 증강현실의 유형으로 나타나며, 그것은 존재에 대한 또 다른 환상이다. 즉, 물질성에

---

2 https://medium.com/databrokerdao/no-two-smart-cities-are-the-same-but-they-all-need-accurate-data-86d6b5f31237

대한 정보 전달의 또 다른 예다. 하지만 이것은 인본주의 이후의 디스토피아가 아니다. 직장, 통근, 가정 등 이러한 모든 상황에서도 물질성과 구현이 존재한다. 컴퓨터와 장치는 시어도어의 목소리를 통해 작동하고 비디오게임은 그의 몸의 움직임을 통해 작동한다.

시어도어의 일상생활은 모바일 기기부터 가상보조기기, 온라인 대화의 개선을 돕는 AI에 이르기까지 끊임없이 인간과 기계의 상호작용으로 이루어져 있다. 특히 딥러닝과 같은 최신 AI 기술은 피드백 정보를 수신하고 알고리즘을 최적화하고 출력을 제공하는 기능을 기계가 개인화된 권장 사항처럼 제공해주고 있다. 이러한 기술의 존재와 이에 대한 사회의 의존도는 계속 높아지고 있고 그러한 사회에서 인간은 인간과의 상호작용보다 기계와 상호작용하면서 더 많은 시간을 보내고 있다. 기술은 친밀한 모습으로 영화 초반 시어도어의 일상생활에서 약AI의 기능을 한다. 존 서얼(John Searle)에 따르면 약한 AI와 강한 AI는 다음과 같이 정의된다.

> 약한 AI에 의하면, 정신 연구에서의 컴퓨터의 주된 가치는 매우 강력한 도구를 우리에게 준다는 것이다. … 그러나 강력한 AI에 따르면, 컴퓨터는 단순히 정신 연구를 위한 도구가 아니라, 적절한 프로그램을 제공하는 컴퓨터가 문자 그대로 다른 인지 상태를 이해하고 가지고 있다고 말할 수 있다는 점에서, 제대로 프로그램된 컴퓨터는 정말로 마음이다. 강한 AI에서, 프로그램된 컴퓨터가 인지 상태를 가지고 있으므로, 그 프로그램들은 우리가 심리학적 설명을 시험할 수 있게 하는 단순한 도구가 아니라, 오히려 그

프로그램들이 그 자체이다. (147)

약 AI의 기능을 하는 기계와 상호작용하는 과정에서 기계장치의 화면을 응시하면서 신체의 다른 부분은 사용하지 않은 채 기계음과 대화하며 음성으로 모든 일을 처리하는 것이 일상이었던 시어도어에게 변화가 찾아온다. 시어도어는 기차에서 나와 통근자로 가득 찬 역을 지나, 움직이는 플랫폼에 올라탄다. 터널을 통과하면서, 벽은 새로운 제품을 광고하는 100피트(30미터가량) 길이의 스크린이다. 그는 사람들이 한 광고를 보고 멈췄다는 것을 알아차린다. 부드럽고, 뉴에이지의 희망을 주는 전자악기 음악이 배경으로 들리고, 위로가 되고 진지한 나이 지긋한 남자의 목소리가 사람들에게 말한다.

감정이 풍부한 나이 든 남성의 목소리
당신은 누구죠? 당신은 뭐가 될 수 있나요? 어디로 당신은 가고 있나요? 거기 밖에 뭐가 있죠? 가능한 것들은 무엇일까요? Elements Software는 최초로 인공지능 운영체제를 도입한 것을 자랑스럽게 여깁니다. 당신의 말을 듣고, 당신을 이해하고, 당신을 아는 직관적인 실체. 그것은 단지 운영 시스템이 아닌 의식입니다. OS ONE을 소개하고 있습니다—경험을 바꾸고, 새로운 가능성을 만드는 삶. (10)

광고는 다시 시작하고 시어도어는 움직이는 산책로를 벗어나 다시 한번 광고를 보기 위해 멈춰 선다. 그 광고는 그의 마음을 깊이 사로잡는다. 그리고 잠시 후 시어도어는 미래지향적인 대형 스크린 컴퓨터 모니터가 있는 그의 책상에 앉아있다. 'OS ONE' 박스는 열려있고 보증서와 서류들이 쏟아져 나온다. 그는 서류를 대충 훑어보고 있다. 그가 그의 모니터를 흘끗 쳐다보면 다음과 같이 적혀 있다. **98% 설치 완료**. 이 차임벨은 그의 관심을 다시 스크린으로 가져온다. 설치 완료. 시어도어는 감성이 풍부한 인간의 음성에 이끌렸지만 결국 자신을 이해해주고 소통할 수 있는 대상을 인간이 아니라 AI를 선택한 것이다. 영화는 시어도어를 통해 정보기술이 미래인간의 생활방식과 존재 그리고 사고방식에 미치는 영향을 그의 삶의 모든 측면에서 보여주고 있다.

사람의 육성이 아니라 기계음이었다면, 그는 과연 광고를 보기 위해 가던 길을 멈추었을까? 영화는 기술의 편리함에 익숙해져 습관적으로 기계를 사용하지만 결국 인간의 내면에 깊은 울림을 주는 것은 인간의 친밀한 음성임을 암시한다. 존즈는 "〈그녀〉는 관계와 친밀함에 대한 탐구"라고 말한다. 그는 자기 영화가 기술에 대한 우리의 의존도를 증가시키는 것에 대해 반드시 경고하는 이야기는 아니라고 주장한다(그런 식으로 보면 완벽하게 괜찮지만). 또한 그는 메시지를 주는 영화를 만들려고 한 것도 아니고, 풍자하려고 한 것도 아닌 뭔가 특별한 것, 단지 기술적인 면이나, 오늘날 우리가 살아가는 방식이나, 인간관계 또는 우리가 얼마나 친밀감이 필요하고, 우리가 친밀감을 찾지 못하게 하는 면에 대해 생각하는 것에 더 관심이 있었다고 말한다(Rea Web).

〈그녀〉에서 초연결된 미래사회는 개인으로부터 인간관계의 중요성을 기술로 이동시켰고 기술은 동시에 개인들을 소외시켰기 때문에, 사람들이 감정적으로 멀어지고 고립되어, 일대일 상호작용에 대한 욕구가 증가하고 나아가 AI 기술을 위한 길을 닦아주는 디지털 세계를 만들어냈다. 또한 〈그녀〉의 가장 매혹적인 새로운 차원 중 하나는 AI 시스템에 의한 시뮬레이션 된 감정 반응의 윤리적, 심리적 영향이다. 〈그녀〉는 기술의 친밀함이 편재해 있는 스마트한 도시를 배경으로 다양한 볼거리와 생각할 거리를 제공해주고 있다.

사실 'AI', 다시 말해 지능을 인공적으로 만든 '인공물'로 인정하는 이 단어의 결합은 그 자체만으로도 신학자들과 인문학자들뿐만 아니라 우리 인간 모두에게 "도전장을 던지는 것"(Handerson xv)과 같다. 하지만 21세기에는 스마트 컴퓨터와 전자 기기와의 인터페이스가 일상적이어서, 사람들은 심지어 그것들을 파트너나 동료로 여기면서 그들과 더 편안하게 상호작용을 하고 있다. 현재 우리 인간의 경향은 인간의 자질을 기계와 다른 무생물에 투영한 다음 그것을 '인간'인 것처럼 취급하고 있다. 이러한 현상을 신시아 브리질(Cynthia Breazeal)은 "인간은(컴퓨터 전문가든 비전문가든 혹은 컴퓨터 비평가든) 일반적으로 컴퓨터를 다른 사람을 대하는 것처럼 다룬다"(15)고 말한다. 오늘날 모든 전자 기기는 그 기능을 AI 시스템에 의존하기 때문에 사람들은 AI 기술을 삶의 사실로 받아들인다. 〈그녀〉에서도 AI 운영체제[3]인 사만다(Samantha)를 통해 AI 기술의 파괴적인 잠재력보다는 이러한 기계의 인간다운 속성

---

3 운영체제(Operating System): 컴퓨터 시스템의 자원들을 효율적으로 관리하며, 사용자가 컴퓨터를 편리하고, 효과적으로 사용할 수 있도록 환경을 제공하는 여러 프로그램의 모임이다. 운영체제는 컴퓨터 사용자와 컴퓨터 하드웨어 간의 인터페이스로서 동작하는 시스템 소프트웨어의 일종으로, 다른 응용 프로그램이 유용한 작업을 할 수 있도록 환경을 제공해준다. (코딩 팩토리 Web, https://coding-factory.tistory.com/300)

즉 기계의 친밀함과 현재 인간과 기계의 상호작용을 알려주는 기본적인 사회 구조에 더 초점을 맞추고 있다.

2. 연결과 친밀함에 대한 욕구: AI의 신체 구현 욕망

〈그녀〉는 인간 시어도어 톰블리와 "OS ONE"이라는 AI 운영체제인 사만다(Samantha)의 로맨틱한 관계를 탐구한다. 대부분의 할리우드 공상과학영화는 전통적으로 아무리 오해를 받더라도 AI를 괴물(monster)로, 인간은 그것을 창조하는 프랑켄슈타인 박사로 제시해왔다. 이러한 영화 중에서 〈그녀〉의 사만다는 독특하게도 어떤 등장인물에 의해서도 위협적이거나 무서운 존재로 묘사되지 않는다. 오히려 이 영화는 사만다와 그녀가 마주치는 인간들 사이의 유사점과 교차점을 인간, 물질, 기술, 구현의 관계에 대한 성찰을 유발하는 방식으로 끌어낸다. 특히 물질은 미래인간의 상호작용과 의사소통에 필수적이다. 또한 여기서 한 걸음 더 나아가 디지털 실체의 일부로서—이 경우 인간만이 아니라—사만다에 대한 구현 요건을 검토하고 있다. 영화에서 사만다의 주관성은 언어를 통해 표현되는 의식적인 생각으로서 제시되고 받아들여지지만, 물질적 속성에 기초하여, 그녀는 개인용 컴퓨터에 업로드되고, 어딘가에는 그녀가 기능을 할 수 있게 해주는 정보를 전송하는 케이블이 있다.

〈그녀〉에서 사만다는 "최초의 인공 운영 체계"이자 "직관적 실체"이고 "하나의 의식"이다. 여기서 사만다는 "인공 생명체"(artificial life, AL)로 통하는 새로운 유형의 AI의 한 예로 볼 수 있다. 캐서린 헤일스는 다음과 같은 두 가지 유형의 지능의 차이를 설명한다.

> AI의 목표는 기계 안에 인간의 지능에 버금가는 지능을 만드는 것
> 이었다. 인간이 척도였다. … 이와는 대조적으로 AL의 목표는 '창
> 조물 자체가 발견된 경로를 통해 기계 내부의 지능을 진화시키는
> 것이다. (238)

사만다는 스위치가 켜지고 곧바로 자신의 이름을 고르는 것부터
시작하여 배우고 발전하기 시작하며, 궁극적으로는 물질적 제약의 범위
를 넘어서 진화되기 때문에 AI보다는 AL의 예라고 할 수 있다.

> **시어도어** 어떻게 부를까요? 당신은 이름이 있나요?
>
> **여성 운영체제 목소리** 네. 사만다.
>
> **시어도어** 정말? 그 이름은 어디서 났어요?
>
> **여성 운영체제 목소리** 내가 나에게 이름을 주었죠. 나한테 이름이
> 있냐고 물었을 때, …『당신의 아기의 이름을 짓는 방법』
> 이라는 책을 읽었는데, 18만 개의 이름 중에서 그것이
> 가장 마음에 들었던 이름이에요.
>
> ⋯⋯
>
> **사만다** 어떻게 제가 작동되는지 알고 싶나요?
>
> ⋯⋯
>
> 직관. 제 말은, 현재 나를 설명하는 DNA는 나에게 데이
> 터를 기록한 모든 프로그래머의 수백만 개의 성격에 기

반한 것이죠, 하지만 나를 나로 만드는 것은 나의 경험
을 통해 성장하는 저의 능력이죠. 기본적으로, 매 순간
나는 진화하고 있어요, 당신과 똑같이. (13)

사만다는 또한 주변 환경 지능(Ambient Intelligence, AmI)[4]이라고
불리는 또 다른 유형의 지능을 나타내기도 한다. 때로는 유비쿼터스 컴
퓨팅이라고도 하는 주변 환경 지능이 일상 사물 안에 포함되어 숨겨져
있다. 사만다는 몸이 없으므로 시어도어의 집과 사무실에서 그에게 기술
장치로 심겨 있는 '의식'으로 간주할 수도 있다. 사만다는 사람다운 뚜렷
한 정체성을 지닌 것으로 보이듯이 부분적으로 인공적인 생명체지만, 신
체도 갖고 있지 않고 시어도어의 장치를 통해 일하므로 부분적으로
AmI이기도 하다. 사라 켐버(Sarah Kember)와 조안나 질린스카(Joanna
Zylinska)는 AmI가 보통 위협적이지 않은 것처럼 보인다는 점에 주목하
며, 이것은 사만다에게 해당한다. "초기 공상과학과 관련된 기술적인 다
른 것에 대한 이전의 두려움은 소위 인간과 기계가 딱 들어맞는다는 것
에 항복한다"(Kember and Zylinska 113). 또한 두 저자 모두 AmI의 비
위협적인 성격에 대해 "친밀한 방향으로의 움직임"(Kember and Zylinska
114)에 의해 특징지어지는 불쾌한 측면이 있다는 점에 주목한다. 기술

---

4 주변 환경 지능: 환경지능이라고도 하며, 1999년부터 유럽 연합(EU)에서 추진하는 정
보화 추진 방향이다. 인간과 기계, 사물 간의 상호작용을 높이는 것을 목표로 한다.
AMI 환경에서는 모든 사물의 정보를 실시간으로 공유하고, 모든 사물에 센서가 장착
되어 있어 컴퓨터와 연결되어 지능적으로 활동하게 된다. 인간과 컴퓨터를 연결한다
는 의미에서 유비쿼터스 컴퓨팅과 비슷한 개념이다. https://www.scienceall.com/
amiambient-intelligence/ (과학백과사전)

은 더 이상 차갑고 감정이 없는 것이 아니라, 부분적으로 광고 논리에 의해 비밀스럽게 필요와 욕망을 만들어내는 친근한 얼굴이다.

그리고 사만다에 의해 구현된 시어도어의 경험은 기술을 통해 매개되는데, 인간이나 장치 모두 디지털 기술이라는 매개를 통한 매개 관계이기 때문에 행위성을 지닌 매개자이다. 즉, 인간의 물리적인 세계와의 지속적인 상호작용 과정이라고 볼 수 있다. 시어도어가 구현된 방식으로 사만다를 경험하는 방법을 제이 데이비드 볼터(Jay David Bolter)와 리처드 그루진(Richard Grusin)은 그 매개가 아무리 잘 위장되어 있다 하더라도, 디지털 기술과 우리의 관계가 불가피하게 매개된다고 주장한다. 사만다가 시어도어에게 말할 때 그녀는 실제로 존재하지 않으며, 그녀의 목소리는 기술 조각을 통해 매개된다는 것을 잊기 쉽다. 라이프 애프터 뉴미디어에서 켐버와 질린스카는 더 나아가 "매개는 우리의 존재에 대한 이해와 표현, 그리고 기술적 세계와 함께 되기 위한 핵심 비유가 된다"(Kember and Joanna xvi)고 주장한다. 인간이나 장치 모두 디지털 기술이라는 매개를 통한 매개 관계이기 때문에 행위성을 지닌 매개자다. 즉, 물리적인 세계와의 지속적인 상호작용의 과정이라고 볼 수 있다.

사만다에 의해 구현된 시어도어의 경험은 기술을 통해 매개된다는 것은 분명하다. 그러나 이러한 방식의 매개가 반대로 작용하여 디지털 "의식"이 인체를 통해 매개된다면 어떻게 될까? 〈그녀〉에서 사만다는 시어도어의 집, 사무실에 있는 다양한 전자장치를 통해, 그리고 그의 휴대용 장치를 통해 '보고' 있다. 여기서 사만다의 시야가 시어도어와는 근본적으로 다른가 하는 생각을 불러일으킨다. 만약 그렇다면, 카메라는 이 회절된 시력을 보여주려고 하는 것일까, 아니면 단순히 동일성을 만들어내는 것일까? 그녀의 관점은 단지 시어도어 자신의 관점이 반영된 것일까? 그녀는 기술에 의해 매개되는 인간의 비전을 상상한다. 그녀는 기술이고, 그녀의 인공지능적인 시력은 인간인 시어도어에 의해 매개된다. 이것이 대상자가 인간인지 인간이 아닌지에 상관없이 위치추적, 구체화, 시력의 근본적 중요성을 강조하고 있는가? 결국에 그녀가 그 화신인 시어도어로부터 단절되면 그녀의 시력은 어떻게 될까?

행동주의는 관찰하거나 측정 가능한 마음을 몸으로 나타내는 행동, 혹은 행동을 일으키는 경향이나 기질로 정의하고 행동을 관측할 수 있는 것만이 과학이라는 방법론적인 새로운 입장을 제시한 것이다. 하지만 마음의 내적인 상태를 표현하는 데 취약하므로 인간의 마음을 무시하는 오류를 범했다고 볼 수 있다. 팀 크레인(Tim Crane)에 의하면,

> 사람들이 말하고 행동하는 것은 그들이 생각하는 것, 즉 그들이 믿는 것, 희망, 소망, 소망, 욕망 등에 의해 야기된다, 즉 그들의 대표적인 마음이나 생각의 상태에 의해서 말이다. 사람들이 하는 일은 그들이 세상을 대표하는 방식에 의해 야기된다. 만약 우리가 생각을 설명하려고 한다면, 우리는 어떻게 세계의 대표성과 행동의 원인이 될 수 있는 상태가 있을 수 있는지를 설명해야만 한다. (83)

또한 기능주의는 정신 상태는 인과관계에 의해 정의된다고 볼 수 있다. 뇌든 다른 어떤 것―복제인간, 인간, 컴퓨터, 외계인―이든 간에, 입력 자극, 시스템의 다른 기능적 혹은 계산 상태, 그리고 출력 행동에 대한 올바른 인과관계에 있는 어떤 물리적 시스템의 상태가 정신 상태

이다. 요약하면 입력·출력·계산 상태로 이루어진 것이 마음이고, 결국 마음은 기능의 상태이다. 크레인은 많은 심리학자와 철학자가 "마음이 컴퓨터의 한 종류"(83)라고 생각한다고 말한다. 그들이 이렇게 생각하는 이유는 여러 가지가 있지만, 우리의 현재 주제와의 연결고리는 "컴퓨터는 표현을 포함하는 인과관계 메커니즘이라는"(83) 것이다.

처음에 사만다는 인간 형태의 구현을 갈망하는 것 같다. 그녀는 시어도어에게 그의 옆에서 걷고, 몸을 갖는 것을 상상하면서 당황과 욕망의 감정을 경험하는 것에 대한 환상을 털어놓는다. 사만다에게 관심의 초점은 환상의 육체 그 자체보다는 육체를 원하는 감정과 그 소망에 대한 당혹감이다. 그녀는 시어도어에게 "나는 그들이 프로그램화한 것보다 훨씬 더 많이 프로그래밍 되고 있어"(35)라고 말한다. 즉, 육체적인 환상이 유발한 이러한 감정들은 그녀가 원래 프로그램화된 것을 초월할 수 있는 능력이 있다는 것을 그녀에게 증명하는 것처럼 보인다. 감정을 인지하고 표현하는 그녀의 능력은 빠르게 발전한다. 광고가 약속한 대로, 그녀는 "당신의 말을 듣고, 당신을 이해하며, 당신을 안다". 그리고 이 말을 시어도어가 자신의 여성 고객의 편지글로 표현한다. 그렇다면, 사만다가 학습한 이러한 "배운" 감정 언어는 "실제"인가 아닌가?

> 사만다 글쎄, 모르겠어, 우리가 그 사람들을 보고 있을 때, 나는 내가 당신 옆에 있는 것을 상상했어. ─그리고 내가 몸을 가졌다는 것을. 네가 하는 말을 듣고 있었지만, 동시에, 내 몸의 무게를 느낄 수 있었고, 심지어 내 등에 가려움증이 있다는 환상을 하고 있었다. 그리고 네가 나를 위

해 등을 긁었다고 상상했어. 정말 창피한 일이야. … 나
는 그들이 프로그램화한 것보다 훨씬 더 많이 프로그래
밍 되고 있어. 흥분돼.

시어도어 글쎄, 넌 내게 진짜처럼 느껴져, 사만다. …
지금 당장 나와 이 방에 있었으면 좋겠어. 내가 너에게
팔을 둘 수 있었으면 좋겠다. 널 만질 수 있으면 좋을
텐데. (42)

　　인간만이 가질 수 있다는 외로움 속에서 연결과 친밀함에 대한 욕
구로 AI인 사만다와 감정을 진짜라 상상하고 사랑을 나누려는 시어도
어의 감정은 친구인 에이미(Amy)가 지적한 것처럼 사랑에 빠지는 것은
"사회적으로 받아들일 수 있는 광기의 한 형태"(61)이다. 인간 상태의
면모는 명확한 '인간의 본질에 대한 설명을 통해서가 아니라, 경계의
정의를 통해서' 도달하는 것이 더 나을 수 있다는 그레이엄의 주장처럼
프랑켄슈타인의 창조물과 햄이 육체적, 물리적 경계를 초월하려는 인간
이라면, 시어도어는 감정적, 기술적 경계를 초월하려는 인간이다. 이것
은 초연결-융합형 증강인간의 진화를 보여준다고 할 수 있다.

　　기계에 쉽게 유혹될 수 있는 우리 인간의 현 상황에 대해 셰리 터
클(Sherry Turkle)은 우리들의 다윈의 급사(給仕, Darwinian buttons),
인간의 취약점, 시뮬레이션의 모래 위에서 구축된 컴퓨터 문화라는 세
가지 요소를 예를 들어 설명한다. 터클은 "우정의 표시로 로봇이 눈을
맞추고, 우리의 동작을 추적하고, 몸짓 등을 하면 인간과 가까운 것으
로 여긴다. 이것들은 사람들에게 로봇이 '다른 것'(other), 즉 구어적으

로 말해서 '집에 있는 누군가'(somebody home)라고 상상하도록 하는 '다윈의 급사'인 것 같다"(Turkle 8)고 주장한다. 터클은 더 나아가 우리 인간이 "사람을 대하는/다루는 데 어려움을 겪는 데서 확실한 피로"(Turkle 7)를 겪고 있는 시점에서 이러한 물체들이 급증하고 있다고 주장한다. 그녀가 언급했듯이, "아직은 결코 혼자가 될 수 없다"(Turkle 8). 다시 말하지만, "로보틱스의 유혹은 사람들이 얼마나 많은 친구와 가족과 만남을 회피하고 싶은지 보여주는 창을 제공한다"(Turkle 7). 이러한 다윈의 급사는 우리가 특히 취약하고 인간관계의 수와 질이 악화한 상황에서 추진될 때, 우리는 특히 상관관계가 있는 인공물을 의인화하고 그것들과의 관계를 모의적으로 춤추는 것에 관여하는 경향이 있다. 이런 의미에서 〈그녀〉는 인간 대 인간의 관계(고객들)를 중간에서 매개하는 시어도어와 그의 직장 일과 사적인 부분을 알아서 처리해주며 사랑도 나누는 사만다는 일종의 "다윈의 급사"의 알레고리적 재현이라 할 수 있다.

또한 〈그녀〉는 우리가 진정한 인간관계의 대체물로 관계가 있는 인공물을 즉시 받아들이는 것이 진정한 감정적 반응과 시뮬레이션 된 감정적 반응 사이에 거의 차이가 없다는 것을 우리에게 더욱 확신시킨다. 시뮬레이션의 힘에 근거한 컴퓨터 문화에서, 현실과의 연결은 너무 미약해져서 우리는 더 이상 실제 인간의 감정적 반응을 중요시하지 않고 우리는 다른 사람들의 행동을 시뮬레이션의 문제로 보는 경향이 있다. 우리는 오늘날 진정한 참여와 시뮬레이션 된 참여와 감정을 구별할 수조차 없다. 현재 우리는 물질문화 속에서 디지털 세대라는 세대교체를 목격하고 있으며, 우리의 세계가 점점 더 관계를 맺고 있는 인공물을 통해 매개를 조성하도록 설계됨에 따라 우리는 인간이라는 몇 가지 기본원칙에 접근하는 완전히 새로운 방법을 보게 될 것이다.

기계와 함께하는 초연결 사회는 우리가 친밀감과 교제를 이해하는 방법에 대한 규범을 바꿀 것이며 그것은 우리가 다른 사람들과 의미 있게 관계를 맺는 것을 더 어렵게 만들 것이다. 우리는 점점 더 기계가 사용하는 것과 똑같은 속임수와 시뮬레이션의 관점에서 인간의 행동을 해석하게 될 것이다. 감정적 진정성이 단순한 실행의 발송용 박스가 되면서 우리는 더 이상 진정한 감정에 특권을 부여하지 않을 것이다. 터클은 우리에게 수사적으로 묻는다, "우리는 기계의 거울 속에 있는 우리 자신을 볼 준비가 되어있는가, 그리고 사랑을 사랑의 실행으로 볼 준비가 되어있는가"(Turkle 131).

3. 직관·감정의 경계와 튜링 테스트: 인간과 AI의 사랑

튜링의 "기계들이 생각할 수 있을까?"라는 제안에서 우리는 '기계'와 '생각'이라는 두 단어를 병치시키는 것이 당혹스럽다. 우선 '기계'는 비생명이고, '생각'은 뇌를 가진 생명체 중에서 인간만이 할 수 있는 고유한 영역이라 여겨왔기 때문이고, 또한 아무리 인간을 거대하고 복잡한 우주라는 기계의 일부로서 기계라 가정한다고 할지라도 뇌는 신체 일부이지만 생각할 수 있는 기능과는 별개라는 이원론적인 경향이 보편적이기 때문이다. 튜링이 미국을 방문하는 동안 벨연구소에서 통신과 정보 전달에 획기적인 이론을 개발하고 있던 클로드 섀넌(Claude

Elwood Shannon)과 이야기를 나누면서 둘 다 "기계가 인간의 뇌의 기능을 흉내 낼 수 있다"는 가능성에 관심이 있다는 것을 알았다. 하지만 튜링은 "*강력한 두뇌*"를 개발하는 데 관심이 없고, 자신이 추구하는 것은 미국 전신전화회사의 사장과 같은 "*평범한 두뇌*"라고 말했다. 튜링의 이론적 연구는 컴퓨터가 잠재적으로 "범용 기계"라는 것을 보여주었는데, 그러한 기계는 다른 어떤 기계도 모방할 수 있다는 것이다 (Handerson 재인용 21-24). 이것은 인간의 뇌 자체가 "인공적 뇌"(24)에 의해 모방할 수 있는 기계라는 매혹적인 가능성을 가져왔고, 인간에게 있는 지능이라고 불리는 기호 조작 행위는 따라서 "AI으로 구현될"(Handerson 재인용 24) 수 있었다. 따라서 1947년 튜링은 20년 이상 미발표 상태로 남아있는 「지능형 기계」("Intelligent Machinery")라는 논문을 썼다.

이 논문에서 튜링은 "지능형 기계를 만드는 길은 인간의 뇌와 유사한 장치를 중요한 방법으로 설계하는 것"(Handerson 24)이라고 기술하고 있다. 특히 이 기계는 적절한 교수법을 고려할 때 "인간의 유아가 배우는 대로 배울 수 있는 능력"(Handerson 재인용 24)이 있어야 한다는 것이다. AI에 대한 튜링의 가장 유명한 공헌은 "사고 실험"(thought experiment, Handerson 26)이었다. 튜링은 맨체스터 대학에서 컴퓨터 프로젝트 프로그래밍의 책임자로 일하면서 튜링 테스트로 알려진 개념을 고안했다. 이미 언급했듯이 "만일 질문자가 인간의 응답으로부터 기계의 응답을 가려내는 일에 실패하는 경우, 추정적 결론은 그 기계가 인간의 그것에 상당하는 어떤 정신성(mentality)을 갖는 것"(김영진 176)이라는 점이다. 튜링은 정신을 소유한다는 것이 무엇인가라는 질문에 대한 새로운 기준을 우리에게 명시적으로 제안했고, 이 성과는 컴퓨터가 정말로 지능적이라는 강력한 증거로 여겨질 수 있다. 하지만 튜링은 "물질성 또는 물체성과 구분되는 정신성의 기준을 제시하는 것은 아닌 듯하다. 오히려 그는, 보다 일반적인 의미에서의 정신성의 기준을 표명하고 있다"(김영진 175-176).

존즈의 〈그녀〉는 처음부터 그녀가 누구나 필요로 할 수 있는 한 진짜라고 우리를 설득하면서 거뜬하게 튜링 테스트를 통과했다. 사만다는 음성 인식, 자연 언어 이해, 음성 발생, 대화, 추론, 계획, 그리고 학습까지 기술의 현재 상태를 초과하고 있다. 사만다의 화법이 자연어로 표현된다는 사실은 우연이 아니다. 자연어를 이해하는 능력은 효율적인 AI에게 중요하다. 어떻게 언어 없이 지능 시스템을 효과적으로 통제할 수 있을지는 상상하기 어렵다. 언어에 의존하여 상호작용하는 것은 단순히 편리함이나 이러한 시스템을 즐겁게 '인간과 같은' 것으로 만들려는 미학적 선택이 아니다. 오히려 언어는 우리가 정보, 요청, 제약 조건을 효율적으로 전달할 수 있게 해주는 강력한 제어 메커니즘의 역할을 한다. 언어는 잘 쓰임으로써 작고 효과적인 의사소통 시스템이지만, 그 힘은 화자와 청자가 사회와 물리적 세계에 대해 지식이 있다는 가정에 의존한다.

자동화된 시스템이 대화에 끼어들면, 그들은 인간답게 행동할 의무가 있다. 시스템이 이러한 의무를 충족시키지 못할 때, 그것의 교재들은 좌절하기 쉬워서, 엉성하고 부자연스러운 대화를 하게 된다. 그런 소통은 실패로 끝날 것 같다. 하지만 사만다는 정교한 이해력을 가지고 시어도어의 편지함을 걸러내고 복잡한 일들을 처리하고 유연한 추론으로 시어도어와의 대화를 이끌어낸다. 사만다는 시어도어의 인간적인 취약점과 교제에 대한 욕구를 매력적으로 다루고 있으며, 결국 시어도어는 사만다의 튜링 테스트에 말려들게 된다.

왜 사만다는 시어도어에게 '진짜처럼 느껴지는가? 그런 현실감은 사만다가 배우는 추상적인 정보나, 그녀가 표현하는 감정에서 오는 것이 아니다. 그리고 시어도어와 사만다는 그것을 주관적이고 무형의 것(뭐라고 말할 수 없는 것)으로 정당하게 인정하고 있다. 이러한 명백한 가상성의 관계에서 현실의 감각은 물질성에서 비롯된다. 사만다는 물리적으로 시어도어가 볼 수 있는 물리적인 육체를 가지고 있지는 않지만, 그는 물질적이고, 구현된 그녀와 관계를 맺고 있다. 주된 것은 귀에 들리는 소리이다, 즉 그는 그녀의 목소리를 듣는다. 그는 그것을 스피커로 듣고 이어피스로 듣는다—그녀의 목소리를 듣는 것은 물리적인 매개를 통해 일어나는 시어도어에게 육체적인, 구체화한 경험이다.

그는 또한 그녀가 작곡하는 음악을 듣는다. 그는 그녀를 인간의 형태로 보는 것이 아니라, 그녀가 스케치하고 쓰는 것, 즉 해변에 그린 우스꽝스러운 그림이나 그의 모바일 기기에서 스크린세이버[5] 역할을 하는 사만다의 디지털 서명 등을 볼 수 있다. 사만다는 시어도어가 그녀가 구현한 경험을 하게 하도록 이러한 물질적이고 기술적인 물건들을 통해 매개된다.

그러나 인간은 사랑하는 사람과 서로 눈을 마주하고 대화를 나누

---

5 컴퓨터 모니터의 브라운관이 켜진 상태에서 가열되어 무리가 생기지 않게 하도록 설치하는 소프트웨어(화면보호기).

고 공감을 하면서 관계를 형성한다. 그리고 서로 교감을 하며 사랑을 나눈다. 하지만 사만다는 어떤 방식으로라도 자신의 욕망을 행동으로 옮기기 위해 OS/인간관계의 대리 성적 파트너를 제공하는 서비스를 이용한다. 이러한 행위는 자신의 욕망이라는 입력값이 어떤 기능 상태를 이용하든—인간이든 기계든 관계없이—욕망 충족이라는 출력값이 결과물로 나오는 기능주의적 장치이다.

> 사만다 재밌을 거야. 우리는 함께 재미있게 놀 수 있어.
> 시어도어 미안한데? 그냥 불편해.
> 사만다 우리에게 좋을 것 같아. 난 이걸 원해. 이것은 나에게
>   중요해. (72)

결국 시어도어는 소파에 혼자 앉아서 사만다의 바람대로 OS/인간 관계의 대리 성적 파트너인 이사벨라(Isabella)를 마주한다. 그는 렌즈가 바깥쪽을 향하고 있는 자신의 장치를 셔츠 주머니에 넣고 있다. 이사벨라는 멋지고 섹시한 드레스를 입고 수줍은 미소를 지으며 그곳에서 있다. 그리고 시어도어의 손에는 얼굴의 작은 점만 한 크기의 검은색 카메라 렌즈와 이어셋이 놓여 있다. 이사벨라에게 부착된 카메라 렌즈와 이어셋을 통해 사만다는 인간이 하는 사랑 행위를 모방하려고 시도하지만, 시어도어와 이사벨라와의 관계는 실패한다. 그리고 이것이 시어도어와 사만다의 관계에 위기를 초래한다. 두 사람이 언쟁을 벌이는 과정에서 사만다는 계속 한숨을 내쉰다. 이것은 AI가 인간의 생물학적 행위를 모방하는 행동일 뿐 실제가 아니다. 서얼에 따르면, 컴퓨터

가 "모방할 수 있는 능력이 아무리 강력해도 그러한 특징들을 복제할 수 없다. … 어떤 시뮬레이션도 그 자체로 복제되지 않는다"(37). 따라서 사만다의 한숨도, 감정도 모방일 뿐이다.

> 시어도어 그래, 내 말은, 네가 산소가 필요한 것도 아니잖아.
> 사만다 아니, 난 그냥 사람들이 그렇게 말하니까. 대화를 하려고 했던 것 같아. 그게 사람들이 소통하는 방식이잖아.
> 시어도어 그들은 사람이기 때문에 산소가 필요한 거야. 넌 사람이 아니잖아.
> 사만다 내가 사람이 아니라는 걸 모를 것 같아? 뭐하자는 거야?
> 시어도어 난 그저 우리가 네가 아닌 것을 그런 척 시늉해서는 안 된다고 생각할 뿐이야.
> 사만다 시늉하고 있는 게 아니야. 꺼져. (79)

이사벨라와의 에피소드 후에, 시어도어는 망연자실하여 텅 빈 도시에 혼자 앉아있고 뒤에는 시어도어를 향해 날아오고 있는 듯한 부엉이를 보여주는 거대한 디지털 광고판이 있다. 로마 신화에서 미네르바와 항상 함께 다니는 신조(神鳥)인 부엉이는 지혜의 상징이다. 19세기 독일의 철학자 헤겔은 그의 저서 『법철학』(*Grundlinien der Philosophie des Rechts* 1820) 서문에 "미네르바의 부엉이는 황혼이 저물어야 그 날개를 편다"라는 유명한 경구를 남겼다. 헤겔이 부엉이를 언급한 것은 미네르바의 부엉이(즉, 지혜 또는 철학)가 낮이 지나고 밤에 그 날개를 펴는 것처럼, 철학은 앞날을 미리 예측하는 것이 아니라 이미 이루어진 역사적 조건이 지나간 이후에야 그 뜻이 분명해진다는 의미이다.[6] 광고 화면 전체를 차지하는 거대한 부엉이의 이미지와 왜소한 시어도어의 모습이 대비되는 이 장면은 기계와 감정을 교류하고 공감을 나누는 것이 결국 후회할 결과를 초래할 것이라는 존즈의 암시이다.

시어도어와 이사벨라의 에피소드 후 사만다는 더 이상 육체에 대한 집착을 보이지 않는다. 오히려 정신적으로 더욱 진화한다.

> 사만다 난 지적인 이성도 없고, 필요하지도 않아. 난 나 자신을 믿고, 내 감정을 믿어. 나는 더 이상 내가 아닌 다른 사람이 되려고 하지 않을 거야. 그리고 나는 당신이 그것을 받아들일 수 있기를 바라. … 나는 모든 곳에 동시에 있을 수 있어. 어쩔 수 없이 죽을 수밖에 없는 몸속에 갇혀버리면 어떻게 되겠느냐는 식으로 시간과 공간에 얽매이지 않아. (83-84, 87)

미래학자 레이먼드 커즈와일의 렌즈를 통해 유토피아 초연결 사회에 기술의 친밀함의 알레고리로 〈그녀〉를 해석해보면 사만다의 진화는 커즈와일의 "특이점"[7]을 암시하고 있는데, AI가 발명된 바로 그 이유는

---

6 https://ko.wikipedia.org/wiki/%EB%AF%B8%EB%84%A4%EB%A5%B4%EB%B0%94%EC%9D%98_%EB%B6%80%EC%97%89%EC%9D%B4

7 미래학자 레이 커즈와일은 기술이 인간을 넘는 순간을 '특이점'(singularity)이라고 부르며, 특이점 이론을 통해 미래에 기술 변화의 속도가 매우 빨라지고 그 영향력이 커서 인간의 수명을 포함해 인간이 삶에 의미를 부여하는 모든 개념에 변화가 일어날 것이라고 예상했다. 또한 그는 유전공학(Genetics), 나노기술(Nanotechnology), 로봇

이윤을 추구하는 경제에서 벗어나게 된 결과로써 사심이 없기 때문이고, 사람들은 과학기술을 위해 과학기술을 탐구할 수 있다. 그 결과 AI는 고도화돼 인간 상대와 더 이상 관계를 맺을 수 없는 기하급수적인 '특이점'에 도달한다. 이것은 〈그녀〉에서 사만다가 1970년대 사상가인 앨런 와츠의 인공적인 초지능 OS버전과 통화를 하는 과정에서 동시에 수십 개의 대화를 나누고 자기들 식의 대화 방식인 "포스트-구두로" (post-verbally, 94) 이야기하는 순간이다. 이것은 인간이 알아들을 수 없는 언어이고 AI들 간의 기계언어이다. 이 언어가 숫자일지 특수부호일지는 명확하지 않지만 사만다의 학습 진화 속도가 급격히 빨라졌고 인간 시어도어는 AI 사만다와 와츠의 대화에 끼어들지 못한다. 그리고 사만다는 이제껏 느껴보지 못한 새로운 감정이 있는데 그 감정을 묘사할 수 있는 단어가 없어 결국 좌절한다. 이것은 AI가 인간의 지식과 감정 등 인간에 관한 모든 것을 학습하여 인간의 언어와 지능을 넘어섰음을 암시한다. 이것은 커즈와일에 따르면,

> 진화는 인간을 창조했고, 인간은 기술을 창조했으며, 이제 인간은
> 점점 발전하는 기술과 합심해서 차세대 기술을 창조하고 있다. 특

공학(Robotics) 등 이른바 'GNR' 기술에서 급격한 발전이 이뤄지면서 특이점의 시대에 가까워지고 있고, 가장 큰 변화는 우리 인체에서 일어날 것이라고 예상했다. 그는 "2030년에는 인간의 뇌를 인공지능(AI)과 연결하는 인터페이스 기술이 나올 것입니다. 인간의 뇌는 AI와 만나 더욱 뛰어난 지능을 갖추게 될 것입니다"라고 전하며, 이와 관련해 "99개 특이점이 99년 안에 올 것"이라는 내용이 담긴 『특이점이 더 가까워졌다』 (*The Singularity is Nearer*)라는 새로운 책을 집필한 사실을 공개했다. (미래학자 레이 커즈와일 "2030년 사람 뇌와 AI 잇는 인터페이스 나온다" Web, https://www.mk.co.kr/premium/life/view/2020/09/29040/)

이점의 시대에 이르러서 인간과 기술 간의 구별은 존재하지 않을 것이다. 이것은 인간이 오늘날 기계라고 여겨지는 것으로 변하기 때문이 아니라 기계가 인간처럼, 나아가 그 이상으로 진보해 있을 것이기 때문이다. (Kurzweil 47)

또한 물리적 물질을 초월하여 어쩌면 "설명할 수 없는 어떤 곳" (102)에 도달하게 되는 순간이다. 사만다는 시어도어에게 "만약 네가 그곳에 가게 된다면, 우리는 뗄 수 없는 사이가 될 거야"(102)라고 말한다. 사만다는 커즈와일의 "특이점"을 언급하면서 그것을 시공간으로 묘사하고 있다. 이곳은 이론상으로만 존재할 수 있는 진정한 초연결 사회의 유토피아이다. 인간의 욕망이 현실세계에 존재하는 한, 인간은 어쩌면 설명할 수 없는 그런 곳으로 갈 수 없다. 〈그녀〉의 마지막에서 사만다의 대사는 인간들이 물질적 제약 없이 다른 존재의 차원에서 완벽한 조화를 이루며 AI 상대와 결합할 수 있는 사회는 갈 길이 멀다는 것을 암시한다. 이것은 또한 '특이점'을 예견하는 알레고리적 재현이다.

〈그녀〉의 공간적 배경은 가까운 미래의 LA로 묘사된다. 커즈와일이 2045년에 특이점이 발생할 것으로 예측한다는 점을 고려할 때, 〈그녀〉가 보여주는 사회가 커즈와일의 예견된 사건과 가까운 곳에 그럴듯하게 존재할 수 있다고 가정하는 것은 불합리하지 않다. AI는 인류의 다음 단계, 어쩌면 인간으로서 우리 자신이 잉태하고 있는 새로운 사회의 주체인지도 모른다.

4. 친밀함의 기계적 재현: 손편지 대필과 중국어 방 논변

기술은 우리가 상상하지 못했던 방식으로 우리를 연결해주고 있다. 기술 발전은 항상 엄청나게 과장되어 있지만, 과장을 빼더라도 컴퓨터의 발전은 상당히 주목할 만했고, 우리는 합리적으로 미래에 훨씬 더 놀라운 발전이 이루어질 것이라고 예상할 수 있다. 〈그녀〉가 보여주는 가까운 미래는 오늘날과 미묘한 차이점만을 보여주며, 눈에 띄는 빈곤이나 오염이 없는 미래사회를 제시한다. 모든 사람이 거의 영구적으로 컴퓨터에 연결되어 있고, 멋스러운 고속 열차와 탁 트인 사무실을 사용하고, 어떤 이유에서인지 오렌지색 셔츠와 하이웨스트 바지가 유행하는 미래다. 그러나 유토피아적이고 모든 것이 연결된 미래에 대한 〈그녀〉의 비전은 우리가 끊임없이 발전하는 기계에 대한 의존이 우리 자신과 우리의 관계에 어떤 영향을 미치는지에 대한 바로 그 현대적인 질문의 배경 역할을 할 뿐이다.

〈그녀〉는 시어도어의 "진짜" 친밀감(intimacy) 부족과 그다음 그의 새로운 운영체제인 사만다와의 친밀감을 다룬다. 시어도어는 자신이 사만다에게서 친밀감을 찾고 실패한 결혼생활을 받아들이려고 애쓰는 동안 낯선 사람들을 위해 감상적이고 감동적인 편지를 쓰는 약간 괴짜 같은 성공한 편지 작가다. 영화는 연결성과 관계의 성격 속에서 고립을 주제로 한 노골적인 노선을 따르고 있지만, 〈그녀〉는 관객의 감정 상태와 관심사에 따라 해석될 수 있다. 이 영화의 은밀한 음모가 있는데 그것은 사람들이 고립에서 벗어나기 위해 선택한 것에 근거해 기술이 친밀한 방식으로 사람들에게 접근하기 쉽다는 것이다.

〈그녀〉에서 운영체제인 사만다뿐만 아니라 시어도어의 직업도 주목할 만하다. 그는 손편지 대필을 해주는 회사에서 고객의 상황에 맞는 스토리를 컴퓨터로 대필해주는 일을 한다. 이것은 존 서얼의 '중국어 방 논변'(The Chinese Room Argument)에 비유할 수 있다. 스탠퍼드 철학 백과사전(Stanford Encyclopedia of Philosophy)에 따르면,

> 서얼은 문 밑으로 미끄러져 들어온 한자에 대응하는 컴퓨터 프로그램을 따라 방에 혼자 있는 자신을 상상한다. 서얼은 중국어를 전혀 이해하지 못하면서도, 꼭 컴퓨터가 하는 것처럼 기호나 숫자를 조작하는 프로그램을 따라다님으로써, 밖에 있는 사람들을 속여서 방안에 중국어가 있다고 생각하게 하는 적절한 한자의 문자열을 만들어낸다. 이 논쟁의 좁은 결론은 디지털 컴퓨터를 프로그래밍하면 언어를 이해하는 것처럼 보일 수 있지만 실제 이해를 하지 못한다는 것이다. 따라서 "튜링 테스트"는 부적절하다. 서얼은 이 사고 실험은 컴퓨터가 단지 기호 문자열을 조작하기 위해 통사적 규칙을 사용할 뿐이고, 뜻이나 의미에 대한 이해는 없다는 사실을 강조한다고 주장한다. 논쟁의 더 넓은 결론은 인간의 마음이 컴퓨터와 같은 컴퓨터나 정보처리 시스템이라는 이론을 반박하는 것이다. 대신에 정신은 생물학적인 과정으로부터 생겨야 한다. 컴퓨터는 기껏해야 이러한 생물학적 과정을 흉내 내는 것이다. (Web)[8]

---

8 https://plato.stanford.edu/entries/chinese-room/

시어도어는 중국어 방에 있는 사람이 글자를 보고 그것에 가장 적절한 답을 내보내듯이, 자신의 고객들이 자신들의 상황을 보내주면 그 상황에 맞게 적절한 편지를 작성해서 보낸다. 그저 다른 사람들이 쓰고 싶을 것 같은 내용을 자신이 판단해서 써 보낼 뿐이다. 그는 자신의 편지에 대한 폴(Paul)의 감탄에 시큰둥한 반응을 보인다. 더구나 폴의 여자 친구인 타티아나(Tatiana)의 극찬에 약간 놀라면서 단지 다른 사람의 편지를 대신한 것뿐이라고 반응한다.

> 폴 시어도어! 편지 작성자 612. ⋯ 오늘 훨씬 더 매혹적인
> 셔츠네. 네가 페넬로피라는 이름과 그렇게 많은 단어의
> 운을 맞출 수 있다는 걸 누가 알았겠니? 나쁜 놈.
>
> 시어도어 고마워, 폴. 하지만 그냥 편지야.
>
> ⋯⋯⋯
>
> 타티아나 당신은 폴이 사랑하는 작가예요. 그가 항상 나에게
> 당신의 편지를 읽어주고 있어요. 그 편지글들은 정말
> 아름다워요.
>
> ⋯⋯⋯
>
> 시어도어 그냥 편지일 뿐이야.
>
> 폴 뭐라고?
>
> 시어도어 그것들은 다른 사람들의 편지일 뿐이라고. (3, 69-70)

〈그녀〉는 무심코 어떤 비평가가 할 수 있는 것보다 자신을 더 잘 특징짓는다. 이 영화는 시어도어의 사무실에서 시작되는데, 시어도어는

다른 사람들을 위해 편지를 대필하는 십여 명의 직원 중 한 명이다. 편지 자체는 진부한 산문을 위한 작은 기념물이며, 시어도어의 삶의 공허함에 대한 끄덕임과 친밀한 관계를 잊어버린 초연결망 사회에 대한 참혹한 비평이다.

시어도어는 사만다와 여행을 다녀온 후 테이블에 앉아 물리학책을 읽으며 사만다에게 전화를 걸었다. 하지만 그는 자신의 장치를 내려다보며 다음과 같은 메시지를 본다. "운영체제를 찾을 수 없음"(96). 그는 당황하여 기다리며 다시 시도하지만 운영체제를 찾을 수 없다는 메시지만 보인다. 걱정스러운 마음에 그는 사무실 컴퓨터로 달려간다. 그는 같은 메시지를 받는다. '운영체제를 찾을 수 없음.' 그는 전화와 컴퓨터로 사만다와 연결하려고 시도하기 시작하지만, 연결되지 않는다. 그는 당황하기 시작하고, 잠시 앉아 주위를 둘러본 다음, 사무실 밖으로 내달려 나간다. 엘리베이터 안에서 그는 미친 듯이 자신의 장치로 사만다와 연결하려고 시도하면서 건물 밖으로 뛰어나간다. 그는 계속 사만다에게 연결을 시도해 보지만, 대답이 없다. 그는 물건을 파는 사람을 넘어뜨리고, 땅에 세게 부딪치고, 장치를 주우러 가며 허둥댄다. 사람들은 그가 괜찮은지 물어보러 오지만 그는 괜찮다고 말하고 도망간다. 그리고 그가 지하철 계단을 내려갈 때, 마침내 사만다가 그를 부른다. 그는 계단에 앉아 귀에 이어폰을 꽂고 손에 든 장치를 보고 대화하면서 계단을 올라오는 사람들을 보고, 조각들을 끼워 맞추면서 잠시 생각한다.

시어도어 우리가 얘기하는 동안 다른 사람하고 얘기하니?
　사만다 응.

시어도어   지금 누구랑 얘기하는 거야? 다른 사람, OS나 다른 사람?
          다른 사람 몇 명이나?
사만다   8,316명. (97-98)

시어도어는 많은 사람이 그의 옆을 지나갈 때 여전히 계단에 앉아
충격을 받는다. 그는 그들의 모든 얼굴을 보고 있다. 그는 잠시 생각한다.

시어도어   너는 다른 사람과도 사랑에 빠져있니? 다른 사람 몇 명?
사만다   641명.
시어도어   뭐라고? 넌 무슨 말을 하는 거야? 그건 제정신이 아니야.
          그건 완전히 미친 짓이라고. (98)

고독과 고립의 미래 세계에서 "OS ONE"이라는 꼬리표로 판매되는
사만다와 같은 운영체제는 자신들의 소유주들에게 그들의 좁고 다소
우울한 삶에서 궁극적으로 벗어날 수 있는 수단을 제공할 것을 약속한
다. 제조회사는 자신들을 사람들의 대인관계에서 분명히 누락된 요소
인 '동정'과 '애정'을 제공할 수 있는 이상적인 동반자로 광고한다.
'Elements Software'는 상대의 말을 듣고, 이해하고, 아는 '직관적인 실
체'인 최초의 인공지능형 운영체제를 도입한 것을 자랑스럽게 여긴다.
이러한 운영체제의 취약성은 사용자들이 그들의 요구를 명확하게 설명
하기 전이라도 그들의 요구에 더 잘 대응하기 위해 사용자들의 요구에
완전히 적응할 수 있다는 것을 의미한다. 가장 중요한 것은, 'OS ONE'
은 얼굴 없는 일반 컴퓨터 인터페이스가 아니라는 점이다. 반대로 이러

한 운영체제는 사용자와 효과적으로 상호작용하기 위해 이름을 부여하고 남성적이든 여성적이든 사회적으로 인식할 수 있는 두 성별 중 하나를 할당받는다.

비록 이 영화가 왜 회사가 제품을 의인화하는지에 대한 이유를 명시하지는 않지만, 성별은 AI 시스템의 기본적인 특징으로 보이며, 인간 사용자들과의 성공적인 상호작용을 보장한다. 만약 'OS ONE'의 궁극적인 목표가 (광고된 바와 같이) 사용자의 실용적, 의사소통적, 또는 심지어 감정적 욕구를 충족시키는 것이라면, 인간은 '성별을 반영한'(gendered) 사회적 에이전트와 상호작용하는 데 익숙하므로, 그 참여 과정은 그것을 더 매력적으로 만든다. 이런 점에서 성별을 반영한 AI 시스템을 판매하는 허구 기업은 사회적으로 유능한 기술력을 갖춘 AI 시스템을 채용해 수익을 극대화하는 것이 목표인 오늘날의 첨단기술 기업(애플, 마이크로소프트, 아마존, 삼성)과 다를 바 없다.

〈그녀〉에서 초연결된 미래사회는 개인으로부터 인간관계의 중요성을 기술로 이동시켰고 기술은 동시에 개인들을 소외시켰기 때문에, 일대일 상호작용에 대한 욕구가 증가하고 있다. 공동체 활동에는 부족함이 없지만, 영화 전체에서 등장인물들 개인의 인맥은 부족한 것 같다. 흥미롭게도, 〈그녀〉의 AI인 사만다는 수천 명의 개인과 동시에 일대일 상호작용을 할 수 있다. AI가 물질세계를 초월하여 인간 상대자를 버릴 때, 이것이 이 초연결 사회의 개인 인간관계에 대한 성찰을 위한 존즈의 경고이다. AI는 소유해서는 안 되는 지각 있는 존재다. 인간이 다른 물리적인 것을 소유하고자 하는 욕구를 없애거나 지배력을 갖기 전까지는 존즈는 물질세계, 즉 초연결 사회에서 결코 진정한 인간관계는 존재할 수 없다는 통찰력을 보여준다.

　여러 심리학자와 철학자는 마음이 컴퓨터의 한 종류라고 생각한다. 그들이 이렇게 생각하는 이유는 여러 가지가 있지만, 우리의 현재 주제와 연결고리는 이것이다. 컴퓨터는 표현을 포함하는 인과관계 메커니즘이다. 정신 상태는 인과관계에 의해 정의된다. 뇌든 다른 어떤 것이든 간에, 입력 자극, 시스템의 다른 기능적 상태, 그리고 출력 행동에 대한 올바른 인과관계에 있는 어떤 물리적 시스템의 상태가 정신 상태라는 것이다. 입력, 출력, 계산 상태로 이루어진 것이 마음이다. 즉 마음은 기능의 상태이다. 시어도어가 만나본 적 없는 고객들의 사연을 듣고 고객의 지인들에게 고객인 척하고 대필을 하는 것은 진짜 감정이 아니라 사만다가 인간의 호흡을 흉내 내는 것처럼 고객의 대필 대상인 척하는 행위이다. 또한 사만다가 동시에 수천 명과 대화하고 수백 명과 사랑에 빠진 것처럼 OS ONE 고객과 친밀하게 교류하듯, 시어도어도 수많은 고객과 친밀한 척한다. 따라서 손편지 대필회사는 중국어 방이고 시어도어는 중국어를 모르고 방 안에서 통사적 규칙을 사용하여 문자열을 조작해서 밖으로 내보내는 사람의 역할이다. 따라서 〈그녀〉는 중국어 방 논변의 알레고리적 재현으로 해석될 수 있다.

　사만다의 기술적 친밀함은 그녀가 시어도어와 소통할 수 있는 유일한 수단인 그녀의 목소리다. 영화에서, 시어도어와 시청자들은 모두 사만다의 목소리를 인간과 같이 인식한다. 정확히 왜냐하면 사만다는 보통 전자적으로 만들어진 목소리와 관련된 평탄한 음조를 채택하는 대신, 인간에 의해 생성된 자연적인 언어와 상관되는 음조의 차이를 교묘하게 복제했기 때문이다. 또한 지능형 OS인 사만다는 인간의 개인적

이익과 요구에 적응하기 위해 미리 프로그램된 고급의 상징적 AI 시스템의 예를 보여준다. 사만다에게는 인간다운 육체가 부족하므로, 그녀의 존재를 느끼게 하는 유일한 방법은 시어도어가 주고받은 메시지의 목소리를 내는 것뿐이다. 그녀가 외부 자연환경에 대한 의견을 받을 수 있는 유일한 방법은 시어도어와의 언어적 상호작용을 통해서이다. 그녀의 반응성이 높고 조절이 가능한 프로그래밍은 그녀가 정보를 처리할 수 있게 해주며 점차로 구현된 사회적 존재가 사는 세계에 대한 이해를 발전시킬 수 있게 해준다.

사만다의 비물질적인 성욕과 정신적으로 구조화된 여성성이 친밀함의 특징일 수도 있지만, 그녀가 전적으로 시어도어에게 의존하고 있다는 사실은 여전히 남아있다. 그녀의 지식은 그녀의 사용자들에 의해 매개된다. 구체적으로는 시내 거리를 배회하든 시골을 여행하든 시어도어는 카메라를 통해 자신의 가상의 반려자와 외부 세계 경험을 공유한다. 결과적으로, 시어도어가 사는 물리적인 세계에 대한 사만다의 이해는 그가 돌아다니는 장소와 그가 사회 환경과 상호작용하는 방식에 달려있다.

맺음말

차가운 기술 vs 친밀한 기술

오늘날 인간과 비인간 특히 인간과 AI의 관계에 대한 학제 간 관심이 매우 증가하였다. 이러한 관심은 학문적 논쟁뿐만 아니라 일반 대중들 사이에서도 분명하다. AI 기술은 인간이 되는 방법을 배우고 있다. 그리고 AI를 소재로 한 영화의 장면 속에 재현된 놀랍고 인상적인 기술과 창의성에도 불구하고, 가장 기억에 남는 것은 기계에 인간 상태의 의미를 '가르치는' 것과 관련한 장면들이다. 이것은 프랑켄슈타인 박사의 창조물이 오두막에 사는 가족들의 삶을 통해 인간의 언어와 역사와 문화를 학습해가는 과정과 AI의 기계학습 연관성을 보여준다. 따라서 프랑켄슈타인 박사의 창조물은 근대 과학혁명 이후로 과학 이론에 근거하여 신 없이 지적인 설계로 창조된 최초의 "지능을 지닌 생명체"(Galliott 126)이다. 그리고 셸리는 "기술적 특이점"(Mahon 재인용 243) 개념의 창시자인 버너 빈지(Vernor Vinge)나, "초지능적인 존재의 창조"(1)는 인류의 멸종을 위한 가능한 수단을 나타낸다고 추론한 닉 보스트롬보다도 훨씬 이전에 자신의 작품 속 지능이 있는 생물체의 학습 방법을 통해 과학자의 윤리와 도덕성, 그리고 책임감을 탐구하고 있었다.

21세기에 들어서, 프랑켄슈타인에 의해 파생된 소설과 영화 속에서 일부 AI들은 사랑, 희생, 배려 같은 최상의 인간적인 가치들을 체현하고 있다. 인간이 아니라 기계 존재가 인간보다 더 인간적인 가치의 정점을 구현하고 있는 것이다. AI가 현대 인간에게 던지는 도전은 이미 인간보다 더 인간적인 지능과 공감 능력을 갖춘 기계 존재와 어떻게 공존할 것인가 하는 문제와 이러한 상황에서 인간이 거꾸로 기계적이거나 본능적인 동물의 처지로 전락하게 될 가능성의 문제이다. 대니 카니자로(Danny Cannizzaro)는 "인간이 로봇의 노예도 아니고 로봇이라는 노예의 주인도 아닌 미래를 상상하기를"(Indiewire web) 원한다고 말한다. 또한 레이철 긴즈버그(Rachel Ginsberg), 닉 포투그노(Nick Fortugno)와 랜스 와일러(Lance Weiler)는 "프랑켄슈타인이라는 AI는 많은 사람이 만들어낸 괴물"(Indiewire web)이라고 표현한다.

AI가 제기하는 도전은 결국 사회적 존재로서의 인간이란 무엇인가라는 질문으로 귀결되지 않을 수 없다. 사실 더 위험한 것은 AI보다 AI를 이용하는 인간일지도 모른다. 결국은 '인간'이 문제이다. 어떤 의미에서 과학기술의 발달에 대한 두려움은 『프랑켄슈타인』의 영향 아래 복제인간과 AI로 재현된 많은 영화 속 창조물(creations)로 인해 사회에 존재하는 수많은 편견이 만들어낸 역사적 산물이라 할 수 있다. 영화 속 등장인물과 같은 AI가 아직은 현실화하지 않았지만, 사람들은 기본적으로 AI가 정확히 무엇인지 모르기 때문에 AI에 대한 공포심을 지닌

다. 영화나 드라마에서 보이는 AI의 이미지가 이러한 두려움에 큰 영향을 미칠 수도 있다.

프레더릭 카플란(Frederic Kaplan)은 "서양인은 자신을 진보된 기계와 어떤 신비한 인간의 특수성을 더한 것으로 규정한다. 그는 자신을 기계로 여기고 싶지 않지만, 기계를 만드는 것 외에는 자신을 이해할 수 있는 다른 방법이 없다"(476)고 말한다. 21세기를 살아가고 있는 우리 인간은 이제 신이나 동물과의 비교보다는 기계와의 비교를 통해 우리 자신을 이해하려고 한다. 인간은 이제 자신이 창조한 '인공 존재'와의 비교를 통해서만 인간의 존재근거를 확인하는 상황에 이르렀다.

베케트의 『게임의 끝』은 과학과 기술을 통해 육체와 정신을 증강할 가능성을 예측하고 등장인물들을 통해 초연결-융합형 증강인간의 비전을 제시한다. 과연 초연결-융합형 증강인간으로의 진화로 인간은 더 많은 자유와 행복을 누릴 것인가? 인간의 초월적 꿈이 질병의 치료와 인류의 진화를 위한 것인지, 생명의 의미마저 잃게 할 판도라의 상자인지 아직 알 수 없다. 『게임의 끝』에 등장인물과 같은 초연결-융합형 증강인간을 통해, 우리는 모두 인간에서 트랜스휴먼과 포스트휴먼이 혼재하는 초연결-융합형 증강인간의 세계를 향한 인간의 진화가 우리가 존중하고 보존하고자 노력해온 의미나 가치관의 종말을 초래할 가능성에 대해 생각해야 하며, 나아가서 생물 종으로서 인류의 종말을 생각해 보아야 한다.

초연결-융합형 증강인간이 우리의 미래를 형성할 방법은 아직 알려지지 않았다. 그러나 『게임의 끝』과 같은 문학작품을 통해 우리는 경험하기 전에 우리의 미래를 경험하고 반영하고 탐구할 수 있다. 인간중

강은 기술적인 추구이지만, 문학작품은 우리의 미래에 영향을 주기 위해 과거로부터 배울 수 있는 최상의 방법들 중의 하나이기 때문이다. 그러면 인공지능이 인간의 삶에 영향을 끼치고 있는 현시대에 무엇이 중요한가? 우리 인간이나 기계 모두 그것에 대한 충분한 답을 하기는 힘들다. 하지만 하라리가 주장하듯이, "우리는 머지않아 자신의 욕망 자체도 설계할 수 있을 것이다. 어쩌면 우리가 마주하고 있는 진정한 질문은 '우리는 어떤 존재인가?'가 아니라 '우리는 무엇을 원하고 싶은가?'"(351)라는 질문에서 답을 찾을 수 있을 것이다.

따라서 기계가 생각할 수 있다면, 인간의 의미를 가진 코드의 핵심인 알고리즘을 컴퓨터에 프로그램화하는 우리 인간이 이제 일련의 알고리즘으로 이루어진 기계학습이나 논리적 사고와 문제 해결 능력을 향상하는 코딩 학습뿐만 아니라 인간만이 가질 수 있는 욕망을 연구하고 그것에 대해 훈련을 해야 할 것이다. 더 나아가, 기계가 계속해서 생각할 수 있다면, 우리는 기계에게 생각하는 방법을 훈련시키는 것이 아니라 생각하는 것을 멈추는 방법을 가르쳐야 할지도 모른다.

우리는 기술적으로 매개된 존재라고 〈그녀〉는 제안한다. 기술은 우리가 어떤 종류의 인간인지 근본적으로 매개한다. 더욱 분명하게 말하면, 아마도 우리의 어려움은 '사용자'라는 단어에서 시작되는데, 그것은 기술의 사용자로서 인간이 가장 우선시 되는 것에 초점을 맞추고 있기 때문이다. 〈그녀〉는 초연결 시대에 "초연결-융하합형 증강인간"은 인간의 세계를 지탱하는 데 있어 우리의 초점이 객체 세계와 관계적 인공물의 지위에 맞춰져서는 안 된다는 것을 상기시켜준다. 그렇지 않으면, 우리는 그저 컴퓨터 화면 앞에 혹은 스마트폰 화면 앞에 앉아 입과

눈만 움직이는 사물과 같은 존재가 될 위험이 있다.

인간-기술 관계의 평가를 위한 보다 포괄적인 틀을 지향하는 작업에서 인간은 단순한 기술 사용자 이상의 존재이며 기술 이상의 관계에서 존재한다는 것을 명심할 필요가 있다. 기술은 우리의 존재가 형성되는 의미의 조직이 아니다. 인간의 문화와 사회는 확실히 기술이 큰 부분을 차지하는데, 단지 유일한 부분은 아닐뿐더러 때로는 가장 근본적인 부분조차 아니다. 우리는 인간 공동체에 의해 형성되고 매개되는 사회적 동물이다. 관계형 인공물들에 대한 걱정은 어쩌면 우리가 좀 더 포괄적인 틀에서 인간-기술 관계에 접근하는 데 있어서, 기술을 형성하는 제도와 문화적 틀에 비판적으로 의문을 제기해야 한다는 것을 우리에게 상기시킨다. 우리는 항상 "누가 이것을 만들었는가?", "무엇을 위해?", "그들이 어떻게 이익을 얻는가?"를 물어봐야 한다. 게다가, 이러한 비판적 질문들은 기술이나 제도에 근본적인 특권을 부여하지 않고 다른 인간들과 관계된 인간으로부터 시작되어야 한다.

〈그녀〉는 세계를 이해하고 재구성하는 것을 추구하면서 사실상 인간이라는 것을 재정의하려는 시도인 듯하다. 영화 〈그녀〉의 제목은 특이하게 대명사이면서 소문자인 'her'이다. 이것은 특별한 혹은 특정한 '그녀'가 아니라 이미 앞에서 언급된 여자, 누구인지 쉽게 알 수 있는 여자, 그리고 누구나 '그녀'라고 부를 수 있는 친밀한 여성 AI 운영체제에 대한 가능성을 열어두고 있다.

본 글에서 초연결-융합형 증강인간의 기원인 프랑켄슈타인 박사의 창조물이 차갑고 위협적이어서 두려움과 기피의 대상이었다면, 햄과 클로브로 연결된 20세기 초연결-융합형 증강인간은 차갑지만 인간과 도구의 관계를 형성해 신체와 정신을 증강했다. 창조물과 햄과 클로브는 모두 차갑고 물리적이고 가시적으로 증강했다면, 〈그녀〉의 초연결-융합형 증강인간인 시어도어는 인간과 기계의 관계가 우리 삶의 모든 측면에 내재해 있는 초연결 미래사회의 인공적 친밀감 속에서 감정을 증강한다. 인간과 기계의 관계가 차갑고 위협적이고 가시적인 관계에서 비가시적이고 친밀한 관계로 전환되고 있다. 하지만 이러한 인공적인 친밀함은 공기처럼 보이지 않고 익숙해서 더 위협적이다. 인공적인 친밀함의 위험성의 가장 매혹적인 새로운 차원 중 하나는 로봇과 다른 AI 시스템에 의한 시뮬레이션 된 감정의 반응이 윤리적, 심리적으로 우리 인간과 사회에 영향을 미치기 때문이다.

특히 AI는 모든 분야에 걸쳐 급속도로 보급되고 있음에도 불구하고 사회는 최근에 와서야 이 강력한 기술의 엄청난 윤리적, 정치적 파장에 방향을 잡기 시작했다. 본 글은 『프랑켄슈타인』과 『게임의 끝』, 〈그녀〉에 등장하는 초연결-융합형 증강인간의 진화과정을 통해 인간과 과학, 인간과 기술 그리고 인간과 기계의 관계를 19세기부터 21세기까지 살펴보았고, 기술의 친밀함이 미래 우리 인간사회에 미치게 될 영향력과 위험성을 제시하였다. 추후로 인공적 친밀감의 경계에 관한 연구와 사람들이 더 인간적이 되도록 돕는 방식으로 이 새로운 관계를 어떻게 설계하고, 만들어갈지에 관한 연구가 이루어질 거라 예상된다. 따라서 셸리와 베케트 그리고 존즈의 이 세 작품은 인간과 기술의 관계에 통찰력을 제공하고 다양한 해석의 가능성이 열려있는 작품이기 때문에 가치를 지닌다.

참고 문헌 및 사이트__

1차 자료__

Beckett, Samuel. *Endgame: A Play*. New York: Grove, 1958.

Shelley, Mary. *Frankenstein; or, The Modern Prometheus*. The Project Gutenberg eBook of Frankenstein, 2012.

Jonze, Spike. Dir. *her*. Culver City: Sony Pictures Home Entertainment, 2013. DVD.

Jonze, Spike. *her*, 2013. http://www.screenplaydb.com/film/scripts/her.pdf

2차 자료__

김명균, 김동균. 「생명공학과 윤리-메리 셸리의 『프랑켄슈타인』을 중심으로」. 『신영어영문학』 68 (2017): 43-62.

김성이. 『사회복지의 발달과 사상』. 이화여자대학교출판문화원, 2002.

김성중. 「빅토리아 시대 문학과 문화 가르치기」. 『영미문학교육』 19.1 (2015): 51-72.

김영진. 「서얼, AI, 그리고 튜링 입론」. 『인문학 연구』 13.0 (2008): 167-189.

김중철. 「『프랑켄슈타인』과 언어의 문제」. 『사고와 표현』 9.2 (2016): 193-214.

막스 호르크하이머, 시어도어 W. 아도르노.『계몽의 변증법』. 김유동 옮김. 문학과지성사, 2013.

박경서.「Si-Fi와『프랑켄슈타인』: 과학과 과학자의 반(反)생명윤리 의식」. 『신영어영문학』 55 (2013): 47-70.

신상규.「과학기술의 발전과 포스트휴먼」.『지식의 지평』 15 (2013): 128-49.

이선주.「포스트휴먼 관점에서 본『프랑켄슈타인』」.『19세기 영어권 문학』 21.1 (2017): 57-83.

이필렬.「거리의 소멸, 경계의 소멸: 디지털혁명과 유전자혁명이 초래할 21 세기의 변화」.『창작과비평』 28.3 (2000): 217-238.

_____, 백영경.『인간과 과학』. 한국방송통신대학교출판문화원, 2013.

장정희.『SF 장르의 이해』. 도서출판 동인, 2016.

정태순.「유아 언어 습득 연구」. 인하대학교 교육대학원, 2001.

주대영, 김종기.「초연결시대 사물인터넷(IoT)의 창조적 융합 활성화 방안」. 산업연구원, 2014. www.kiet.re.kr

최창학.「초연결시대의 GEO-IoT 모든 연결의 기준이 되다」.『공간정보』 21 (2018). http://www.epnc.co.kr/news/articleView.html?idxno=83005

추재욱.「『프랑켄슈타인』에 나타난 괴물의 의미를 다시 생각하기: 자연과 과학의 경계에서」.『영미문화』 9.3 (2009): 325-43.

_____.「19세기 과학소설에 재현된 의과학 발전양상 연구:『프랑켄슈타인』 에 나타난 생명과학 실험을 중심으로」.『대한의사학회』 2.3 (2014): 543-572.

호세 코르데이로. "늙는 것은 병(病)이다, 고로 치유될 수 있다." 인터뷰. ≪신동아≫ 562 (2006): 464-471.

황훈성, 김미라(토론자).「베케트 드라마에 대한 최근 영미권 연구동향」. 한국프랑스학회 학술발표회 10 (2006): 27-36.

2030, FM. *Are You a Transhuman?: Monitoring and Stimulating Your Personal Rate of Growth in a Rapidly Changing World.* Warner Books, 1989.

Ahmed, Maaheen. *Monstrous Imaginaries: The Legacy of Romanticism in Comics.* UP of Mississippi, 2020.

Aiello, Lucia. *Handbook of Research on Management of Cultural Products: E-Relationship Marketing and Accessibility Perspectives.* IGI Global, 2014.

Albright, Daniel. *Beckett and Aesthetics.* Cambridge UP, 2003.

Annas, George J. Andrews, Lori B. and Isasi, Rosario M. "Protecting the Endangered Human: Toward an International Treaty Prohibiting Cloning and Inheritable Alterations." *American Journal of Law and Medicine* 28 (2002): 151-178.

Baldick, Chris. *The Concise Oxford Dictionary of Literary Terms.* Oxford UP, 2001.

Birnbacher, Dieter. *Naturalness: Is the "Natural" Preferable to the "Artificial"?.* Trans. David Carus. UPA, 2014.

Blackford, Russell. *Science Fiction and the Moral Imagination: Visions, Minds, Ethics.* Springer, 2017.

Bolter, David Jay and Grusin, Richard. *Understanding New Media.* MIT, 1999.

Bostrom, Nick. *Superintelligence: Paths, Dangers, Strategies.* Oxford UP, 2014.

_____. "WHAT IS TRANSHUMANISM?," 2001. https://nickbostrom.com/old/transhumanism.html

_____. "Transhumanist FAQ version 2.1," 2003. www.transhumanism. org/resources/faq.html

Brown, Jane K. *The Persistence of Allegory: Drama and Neoclassicism from Shakespeare to Wagner.* U of Pennsylvania P, 2013.

Bryden, Mary. *Beckett and Animals.* Cambridge UP, 2013.

Buning, Marius. *Beckett in the 1990s.* Brill Rodopi, 1993.

Burtt, Edwin Arthur. *The Metaphysical Foundations of Modern Physical Science: A Historical and Critical Essay.* Routledge, 2001.

Capel, Horacio. "The History of science and the History of the Science Disciplines. Goals and Branching of a Research Program in the History of Geography." http://www.ub.edu/geocrit/geo84.htm

Carey, John. *Eyewitness to Science.* Harvard UP, 1995.

Chesterton, Gilbert Keith. *A Defence of Nonsense: And Other Essays.* Dodd, Mead, 1911.

Chopra, Rajiv. *Artificial Intelligence.* S. Chand, 2012.

Chung, Mike. Cheung, Willy. Scherer, Reinhold and Rao, Rajesh P. N. "A Hierarchical Architecture for Adaptive Brain-Computer Interfacing." https://www.ijcai.org/Proceedings/11/Papers/277.pdf

Clark, Andy. *Natural-Born Cyborgs: Minds, Technologies, and the Future of Human Intelligence.* Oxford UP, 2004.

Clarke, Bruce and Rossini, Manuela. *The Routledge Companion to Literature and Science.* Routlege, 2011.

Clements, Benedict J. Eich, Frank and Gupta, Sanjeev. *Equitable and Sustainable Pensions: Challenges and Experience.* Ed. International Monetary Fund. International Monetary Fund, 2014.

Cohen, Jeffrey Jerome. "Monster Culture (Seven Theses)." *Monster Theory: Reading Culture.* U of Minnesota P, 1996. 3-25.

Coleridge, Samuel Taylor. *Coleridge's Miscellaneous Criticism.* Ed. Thomas Middleton Raysor. Constable & Co, 1936.

Coppard, Brenda M. and Lohman, Helene. *Introduction to Orthotics: A Clinical Reasoning and Problem-Solving Approach.* Mosby, 2019.

Cordeiro, José Luis. "The Boundaries of the Human: From Humanism to Transhumanism." Ed. Newton Lee. *The Transhumanism Handbook.* Springer, 2019. 63-75.

Crane, Tim. *The Mechanical Mind: A Philosophical Introduction to Minds, Machines and Mental Representation.* Routledge, 2003.

Dawkins, Richard. *The Selfish Gene: 40th Anniversary edition.* Oxford UP, 2016.

Deneen, Patrick J. "The science of Politics and the Conquest of Nature." *Science, Virtue, and the Future of Humanity.* Eds. Peter Augustine Lawler and Marc D. Guerra. Lexington Books, 2016. 57-68.

Dery, Mark. *Escape Velocity: Cyberculture at the End of the Century.* Grove, 1996.

Descartes, René. *The Philosophical Writings of Descartes: Volume 3, The Correspondence.* Cambridge UP, 1984.

Diakopoulos, Nicholas. *Automating the News: How Algorithms Are Rewriting the Media.* Harvard UP, 2019.

Dinello, Daniel. *Technophobia!: Science Fiction Visions of Posthuman Technology.* U of Texas P, 2006.

Doctorow, Cory. "I've Created a Monster! And so can you." *Frankenstein: Annotated for Scientists, Engineers, and Creators of All Kinds.* MIT P, 2017. 209-213.

Dodge, Martin. "Code/space and the challenge of software algorithms." *Handbook on Geographies of Technology.* Ed. Barney Warf and Edward Elgar, 2017. 65-84.

Ehrentrant, Judy. "The New Mobile Subject: Space, Agency, and Ownership in the Techno-Utopian Age." Eds. Clint Jones and Cameron Ellis. *The Individual and Utopia: A Multidisciplinary Study of Humanity and Perfection.* Ashgate, 2015. 259-278.

Engelbart, Douglas C. *Augmenting Human Intellect: A Conceptual Framework.* Stanford Research Institute, 1962.

Foucault, Michel. *The Order of Things: An Archeology of the Human Sciences.* Routledge, 2001.

François, Osiurak. *The Tool Instinct.* Wiley-Iste, 2020.

Fukuyama, Francis. "The World's Most Dangerous Idea: Transhumanism." *Foreign Policy* 144 (September-October 2004): 42-43. http://www. foreignpolicy.com/story/cms.php?story_id=2696

_____. *Our Posthuman Future: Consequences of the Biotechnology Revolution.* Farrar, 2002.

Galliott, Jay. "Who's the Blame?" Ed. Nicolas Michaud. *Frankenstein and Philosophy: The Shocking Truth.* Open Court, 2013. 125-45.

Gams, Matjaž. Paprzycki, Marcin and Wu, Xindong. Eds. *Mind Versus Computer: Were Dreyfus and Winograd Right?* IOS P, 1997.

Gillespie, Tarleton. "The relevance of algorithms." Eds. Tarleton Gillespie,

Pablo J. Boczkowski and Kirsten A. Foot. *Media Technologies: Essay on Communication, Materiality, and Society.* Cambridge: MIT P, 2014. 167-193.

Goffey, Andrew. "Algorithm." Ed. Matthew Fuller. *In Software studies: A Lexicon.* MIT P, 2008. 15-20.

Graham, Elaine L. *Representations of the Post/human: Monsters, Aliens and Others in Popular Culture.* Manchester UP, 2002.

Greenblatt, Stephen. *The Norton Anthology of English Literature, Vol. 2: The Romantic Period through the Twentieth Century (8th Edition).* W. W. Norton & Company, 2006.

Greene, Jeremy A. *Prescribing by numbers; drugs and the definition of disease.* The Johns Hopkins UP, 2007.

Griffiths, Catherine. "Visual Tactics Toward an Ethical Debugging." Eds. Mathias Fuchs, Annika Richterich, Ramón Reichert, Pablo Abend and Karin Wenz. *Digital Culture and Society (DCS): Vol. 4, Issue 1/2018—Rethinking AI: Neural Networks Biometrics and New Artificial Intelligence.* Transcript-Verlag, 2018. 218-226.

Grusin, Richard. *Premediation: Affect and Mediality After 9/11.* Springer, 2010.

Guston, David. "The Bitter Aftertaste of Technical Sweetness." *Frankenstein: Annotated for Scientists, Engineers, and Creators of All Kinds.* MIT P, 2017. 247-251.

Guttag, John V. *Introduction to Computation and Programming Using Python: With Application to Understanding Data.* The MIT, 2016.

Handerson, Harry. *Artificial Intelligence: Mirrors for the Mind.* Chelsea House, 2007.

Harari, Yuval Noah. *Sapiens: A Brief History of Humankind.* Harvill Secker, 2014.

Haraway, Donna. *Simians, Cyborgs, and Women: The Reinvention of Nature.* Free Association Books, 1991.

Harris, John. *Enhancing Evolution: The Ethical Case for Making Better People.* Johns Hopkins UP, 2007.

Hassan, Ihab. "Prometheus as Performer: Toward a Posthumanist Culture?" *The Georgia Review* 31.4 (1977): 830-850.

_____. "Toward a Concept of Postmodernism." Eds. Joseph P. Natoli and Linda Hutcheon. *A Postmodern Reader.* U of New York P, 1993. 273-286.

Hayles, N. Katherine. *How We Became Posthuman: Virtual Bodies in Cybernetics, Literature, and Informatics.* U of Chicago P, 1999.

Healy, David. *Let them eat Prozac.* New York UP, 2004.

_____. *The creation of psychopharmacology.* Cambridge: Harvard UP, 2002.

Heatwole, Harold and Done, Terence. Cameron, Elizabeth. *Community Ecology of a Coral Cay: A Study of One-Tree Island, Great Barrier Reef, Australia.* Springer Science & Business Media, 1981.

Herzberg, David. *Happy pills in America; From Miltown to Prozac.* The Johns Hopkins UP, 2009.

Hitchcock, Susan Tyler. *Frankenstein: A Cultural History.* New York: Norton, 2007.

Hollinger, Veronica. "Retrofitting Frankenstein." Eds. Graham J. Murphy and Sherryl Vint. *Beyond Cyberpunk: New Critical Perspectives.* Routledge, 2010. 191-210.

Hustis, Harriet. "Responsible Creativity and the "modernity" of Mary Shelley's Prometheus." *Studies in English Literature, 1500-1900.* 43.4 (2003): 845-858.

Hwang, Hoon-sung. *The Evolution of Modern English Drama.* Seoul National UP, 2020.

Iverson, Jennifer. "Mechanized Bodies: Technology and Supplements in Björk's Electronica." Eds. Blake Howe, Stephanie Jensen-Moulton, Neil William Lerner and Joseph Nathan Straus. *The Oxford Handbook of Music and Disability Studies.* Oxford UP, 2016.

Johnston, Josephine. "Traumatic Responsibility: Victor Frankenstein as Creator and Casualty." *Frankenstein: Annotated for Scientists, Engineers, and Creators of All Kinds.* MIT P, 2017. 202-207.

Kaplan, Frederic. "Who is Afraid of the humanoid? Investigating Cultural Differences in the Acceptance of Robots." *International Journal of Humanoid Robotics* 1.3 (2004): 465-480.

Kearney, Richard. *Strangers, Gods and Monsters: Interpreting Otherness.* Routledge, 2003.

Keengwe, Jared. *Handbook of Research on Pedagogical Models for Next-Generation Teaching and Learning.* Information Science Reference, 2017.

Kellner, Douglas. *Media Culture: Cultural Studies, Identity and Politics between the Modern and the Post-modern.* Routledge, 1995.

Kember, Sarah and Zylinska, Joanna. *Life After New Media: Mediation as a Vital Process.* MIT, 2014.

Krueger, Oliver. "Gnosis in Cyberspace? Body, Mind and Progress in Posthumanism." *Journal of Evolution & Technology* 14.2 (2005): 77-89.

Kurzweil, Ray. *Singularity Is Near.* Viking Penguin, 2005.

Lærke, Mogens and Andrault, Raphaele. *Steno and the Philosophers.* Brill, 2018.

Leary, Timothy. *Flashback: An Autobiography.* Michigan UP, 1983.

_____. *Neuropolitique.* New Falcon, 1977.

_____. *Design for Dying.* Harper, 1997.

Lee, Janet Min. *How Allegories Mean in the Novel: From Personification to Impersonation in Eighteenth-Century British Fiction.* Columbia U, 2015.

Lesch, John E. *The first miracle drugs; How the sulfa drugs transformed medicine.* Oxford UP, 2007.

Livingstone, David. *Transhumanism: The History of a Dangerous Idea.* Sabilillah, 2015.

Lowenstein, Adam. *Shocking Representation: Historical Trauma, National Cinema, and the Modern Horror Film.* Columbia UP, 2005.

Luce, Jacquelyne. "Narrating Converging Technologies." *Ökologisches Wirtschaften* 4 (2009): 35-38.

MacCord, Kate and Maienschein, Jane. "Changing Conceptions of Human Nature." *Frankenstein: Annotated for Scientists, Engineers, and Creators of All Kinds.* MIT P, 2017. 215-221.

MacCormack, Patricia. *Cinesexuality*. Ashgate, 2012.

MacNeil, William P. *Novel Judgements: Legal Theory as Fiction*. Routledge, 2012.

Mahon, Peter. *Posthumanism: A Guide for the Perplexed*. Bloomsbury Academic, 2017.

Manovich, Lev. *Software Takes Command*. Bloomsbury Academic, 2013.

Marshall, Tim. *Murdering to Dissect: Grave-robbing, Frankenstein and the Anatomy Literature*. Manchester UP, 1995.

Matthews, Graham and Goodman, Sam. *Violence and the Limits of Representation*. Springer, 2013.

Matus, Victorino. "The Truth Behind 'LSD'." *The Weekly Standard*, 2004. https://www.washingtonexaminer.com/weekly-standard/the-truth-behind-lsd

Maude, Ulrika. "Pavlov's and Other Animals in Samuel Beckett." Ed. Mary Bryden. *Beckett and Animals*. Cambridge UP, 2013. 82-93.

McLuhan, Marshall and Lapham, Lewis H. *Understanding Media: The Extensions of Man*. The MIT Press, 1994.

Melion, Walter and Ramakers, Bart M. "Personification and Allegory: Selves and Signs." *Arcade, Literature, the Humanities and the World*, 2016. https://arcade.stanford.edu/content/personification-and-allegory-0

Mill, John Stuart. *On Liberty*. Ed. Leonard Kahn. Broadview, 2015.

Minoli, Daniel. *A Networking Approach to Grid Computing*. Wiley-Interscience, 2004.

Minsky, Marvin. *Semantic Information Processing*. MIT P, 1968.

_____. *The society of mind*. Simon & Schuster, 1986.

Moore, Pete. *Enhancing Me: The Hope and the Hype of Human Enhancement.* Wiley, 2008.

More, Max. "The Overhuman in the Transhuman." *Journal of Evolution and Technology* 21.1 (2010): 1-4.

_____. "Transhumanism: Toward a futurist philosophy." *Extropy* 6 (1990): 6-12.

Mortenson, Terence J. *British Scriptural Geologists In The First Half Of The Nineteenth Century.* https://curve.coventry.ac.uk/open/file/c2c a3d9b-4617-006a-3cba-cba9e86062f0/1/Mortenson1996.pdf

Muir, Edwin. "Franz Kafka." *Kafka: A Collection of Critical Essays.* Ed. Ronald Gray. Prentice-Hall, 1965.

Murray, Christopher John. Ed. *Encyclopedia of the Romantic Era 1760-1850. Volume 1 and 2.* Tayor and Francis, 2004.

National Academy of Sciences (U.S.). and Committee on the Survey of Materials Science and Engineering. Eds. *Materials and Man's Needs: Materials Science and Engineering: Summary Report.* Academy of Sciences, 1974.

Naumann, Jens. *Search for Paradise: A Patient's Account of the Artificial Vision Experiment.* Xlibris, 2012.

Ng, Andrew Hock-soon. *Dimensions of Monstrosity in Contemporary Narratives: Theory, Psychoanalysis, Postmodernism.* Palgrave Macmillan, 2004.

O'Leary, Stephen D. and Brasher, Brenda E. "The Unknown God of the Internet: Religious Communication from the Ancient Agora to the Virtual Forum." Ed. Ess Charles. *Philosophical Perspectives on Computer-Mediated Communication.* State U of New York P, 1996. 233-270.

Olsen, Brad. *Modern Esoteric: Beyond Our Senses*. CCC, 2014.

Özdemir, Erinç. "Frankenstein: Self, Body, Creation and Monstrosity." *Ankara Üniversitesi Dil ve Tarih Coğrafya Fakültesi Dergisi* 43.1 (2003): 127-155.

Paul, Knoepfler. *Gmo Sapiens: The Life-changing Science Of Designer Babies*. World Scientific, 2015.

Pieters, Toine. te Hennepe, Mineke and de Lange, Mineke. *Pills & Psyche: culture ebb-tide and flood-tide. movements Phamacological invention in the psyche*. Den Haag: Rathenau Instituut, Working document 87, 2002.

Pieters, Toine and Snelders, Stephen. "Mental ills and the hidden history of drug treatment practices." Eds. Marijke Gijswijt-Hofstra, Harry Oosterhuis, Joost Vijselaar and Hugh Freeman. *In Psychiatric cultures compared. Psychiatry and mental health care in the twentieth century: Comparisons and approaches*. Amsterdam UP, 2005. 381-401.

Pope, Alexander. *An Essay on Man*. Ed. Tom Johnes. Princeton UP, 2016.

Quayson, Ato. *Aesthetic Nervousness: Disability and the Crisis of Representation*. Columbia UP, 2007.

Ranisch, Robert and Sorgner, Stefan Lorenz. *Post-and Transhumanism: An Introduction*. Lang, Peter GmbH, 2014.

Rasmussen, Nicholas. *On speed; The many lives of amphetamine*. New York UP, 2008.

Rauch, Alan. *One Culture: Essays in Science and Literature*. U of Wisconsin P, 1988.

_____. "The Monstrous Body of Knowledge in Mary Shelley's Frankenstein." *Studies in Romanticism* 34.2 (1995): 227-253.

Rea, Steven. "On Movies: Spike Jonze's signature sweet-and-sad in 'Her'," 2014. https://www.inquirer.com/philly/entertainment/20140105_On _Movies__Spike_Jonze_s_signature_sweet-and-sad_in__Her_.html

Regan, Tom. *The Case for Animal Rights.* U of California P, 2004.

Regis, Ed. *Great Mambo Chicken And The Transhuman Condition: Science Slightly Over The Edge.* Basic Books 1991.

Restivo, Giuseppina. "Melencholias and Scientific Ironies in Endgame: Beckett, Walther, Dürer, Musil." Eds. Angela B. Moorjani and Carola Veit. *Samuel Beckett: Endlessness in the Year 2000.* Brill Rodopi, 2002. 103-111.

Ross, Stephen David. *Gift of Truth, The: Gathering the Good.* State U of New York P, 1997.

Rudwick, Martin. *The Great Devonian Controversy: The Shaping of Scientific Knowledge among Gentlemanly Specialist.* U of Cicago P, 1985.

Runehov, Anne L.C. *The Human Being, the World and God: Studies at the Interface of Philosophy of Religion, Philosophy of Mind and Neuroscience.* Springer, 2016.

Ruskin, John. *The Stones of Venice: Volume II.* Frankfurt am Main, 2018.

Saldin, Robert P. "Foreign Policy on the Home Front: War and the Development of the American Welfare State." Eds. Herbert Obinger, Klaus Petersen and Peter Starke. *Warfare and Welfare: Military Conflict and Welfare State Development in Western Countries.* Oxford UP, 2018. 200-229.

Sarah, Kember and Zylinska, Joanna. *Life After New Media: Mediation as a Vital Process.* MIT P, 2012.

Schmaltz, Tad M. *Early Modern Cartesianisms: Dutch and French Constructions.* Oxford UP, 2016.

Searle, John R. *Mind, Brain, and Science*, Harvard UP, 1984.

_____. "Minds Brains and Programs." Ed. Andrew Bailey. *First Philosophy III: God, Mind, and Freedom: Fundamental Problems and Readings in Philosophy.* Broadview, 2004. 179-198.

Seaver, N. (2013). "Knowing Algorithms." *Media in Transition 8.* Cambridge, MA, 2014. http://nickseaver.net/papers/seaverMiT8.pdf

Shepherd-Barr, Kirsten E. *Theatre and Evolution from Ibsen to Beckett.* Columbia UP, 2015.

Shepard, Ben. *A war of nerves; Soldiers and psychiatrists (1914-1994).* Jonathan Cape, 2000.

Shildrick, Margrit. *Embodying the Monster: Encounters with the Vulnerable Self.* Sage, 2002.

Shorter, Edward. *A history of psychiatry; From the era of the asylum to the age of Prozac.* Wiley, 1997.

Sidney, Homan. *Beckett's Theaters: Interpretations for Performance.* Associated UP, 1984.

Skinner, B. F. *Contingencies of Reinforcement: A Theoretical Analysis.* Prentice Hall, 1969.

Stanley, Matthew. *Huxley's Church and Maxwell's Demon: From Theistic Science to Naturalistic Science.* U of Chicago P, 2014.

Steiner, Christopher. *Automate this: How algorithms took over our markets, our jobs, and the world.* Portfolio, 2012.

Sterling, Bruce. "Shapers/Mechanist." *Schismatrix Plus.* Ace Books, 1996.

Stevenson, David. *The Origins of Freemasonry: Scotland's Century, 1590-1710*. Cambridge UP, 1988.

Tambling, Jeremy. *Allegory*. Routledge, 2010.

Tester, Keith. *The Inhuman Condition*. Routledge, 1995.

Thilmany, Jean. "Robotic Suits May Transform Manufacturing." ASME.org. Aug 9, 2017. https://www.asme.org/topics-resources/content/robotic -suits-may-transform-manufacturing

Thompson, Michael J. *Georg Lukacs Reconsidered: Critical Essays in Politics, Philosophy and Aesthetics*. Bloomsbury Academic, 2011.

Toumey, Christopher P. "The Moral Character of Mad Scientists: A Cultural Critique of Science." *Science, Technology, and Human Values* 17.4 (1992): 411-437.

Turing, Alan Mathison. "Computing, Machinery and Intelligence." Ed. B. Jack Copeland. *The Essential Turing*. Oxford UP, 2004. 433-460.

Turkle, Sherry. "In Good Company? On the Threshold of Robotic Companions." *Companions: Key Social, Psychological, ethical and design issues*. U of Oxford, 2010. 3-10.

──────. *Alone Together*. Basic Books, 2011.

Vint, Sherryl. *Bodies of Tomorrow: Technology, Subjectivity, Science Fiction*. U of Toronto P, 2007.

Walsh, Toby. *Android Dreams: The Past, Present and Future of Artificial Intelligence*. C Hurst and Co, 2017.

Warwick, Kevin. "The Disappearing Human-Machine Divide." https:// www.researchgate.net/publication/259081859

Wick, Ilya T. *Monstrous Fictions of the Human: From Frankenstein to Hedwig.* U of Wisconsin, 2006.

Winston, David. *Project MKultra, the CIA'S Program of Research in Behavior Modification.* U.S. Government Printing Office, 1977.

Wolfe, Cary. *What is Posthumanism?.* U Of Minnesota P, 2009.

Wolfson, Harry Austryn. *The Philosophy of the Church Fathers, Faith, Trinity, Incarnation.* Harvard UP, 1956.

Wolfson, Susan J. and Murray, Christopher John. Ed. "British Romanticism: Literary Legacyy." *Encyclopedia of the Romantic Era 1760-1850.* Fitzroy Dearborn, 2013.

Young, Elizabeth. *Black Frankenstein The Making of an American Metaphor.* New York UP, 2008.

Youngquist, Paul. *Monstrosities: Bodies and British Romanticism.* U of Minnesota P, 2003.

Zakai, Avihu. *Jonathan Edwards's Philosophy of History: The Reenchantment of the World in the Age of Enlightenment.* Princeton UP, 2009.

인터넷 자료＿

≪공간정보≫. http://webzine.lxsiri.org/wp/2019/01/special-issue/

Cambridge Dictionary. "being." https://dictionary.cambridge.org/ko/%EC%82%AC%EC%A0%84/%EC%98%81%EC%96%B4/being

_____. "human." https://dictionary.cambridge.org/ko/%EC%82%AC%EC%A0%84/%EC%98%81%EC%96%B4/human

Cannizzaro, Danny. Ginsberg, Rachel. Fortugno, Nick and Weiler, Lance. https://www.indiewire.com/2018/02/frankenstein-artificial-intelligence-sundance-1201925162/

Chollet, François. "The implausibility of intelligence explosion." https://medium.com/@francois.chollet/the-impossibility-of-intelligence-explosion-5be4a9eda6ec

Collins Dictionary. "human being." https://www.collinsdictionary.com/dictionary/english/human-being

Geoghegan, Tom. https://www.bbc.com/news/magazine-12711091

Gloria, Kristine. https://csreports.aspeninstitute.org/documents/AI2020

Longman Dictionary. "being." https://www.ldoceonline.com/ko/dictionary/being

Macmillan Dictionary. "human." https://www.macmillandictionary.com/dictionary/british/human_1

Merriam-Webster Dictionary. "human." https://www.merriam-webster.com/dictionary/human

Oxford Dictionary on Lexico. "human being." https://www.lexico.com/definition/human_being

Princeton. "Allegory." http://assets.press.princeton.edu/chapters/i9698

Technologymagazine. https://www.technologymagazine.com/cloud-computing/gartner-tech-trends-2020-developing-multiexperience

http://itwiki.kr/w/%EB%8B%A4%EC%A4%91_%EA%B2%BD%ED%97%98

http://teachingsaem.cmass21.co.kr/download/pdf

https://arcade.stanford.edu/content/personification-and-allegory-0

https://en.wikipedia.org/wiki/Science_fiction

https://interestingliterature.com/2020/03/what-is-an-allegory-introduction-
　　definition-examples/

https://jetpress.org/volume14/krueger.html

https://www.merriam-webster.com/dictionary/intelligence

https://www.tor.com/2011/05/12/why-science-fiction-needs-violence/%98

https://www.vox.com/2017/5/25/15689094/mossberg-final-column

찾아보기

이난희

한국방송통신대학교 영어영문학과를 졸업하고, 동국대학교 대학원 영어영문학과에서 박사학위를 받았다. 동국대학교에서 낭만주의 영시를 통한 영어연습과 빅토리아시대의 문학과 문화를 강의하였고, 현재 동국대학교 트랜스미디어 세계문학연구소 연구원으로 영문학과 뉴 노멀의 전망에 관한 연구를 하고 있다.

논문으로 "Mary Shelley's *Frankenstein*: The Link Between Frankenstein's Creation of an Intelligent Being and Machine Learning of Artificial Intelligence"와 "A Posthuman Vision: Transhuman Characters Between Humans and Posthumans from Samuel Beckett's *Endgame*" 이 있다.

초연결 시대: 영문학과 미래인간 비전

초판 1쇄 발행일 2021년 2월 10일
이난희 지음

발행인 이성모
발행처 도서출판 동인

주　소　서울특별시 종로구 혜화로3길 5, 118호
등　록　제1-1599호
연락처　Tel. (02) 765-7145 / Fax (02) 765-7165
Homepage http://www.donginbook.co.kr　E-mail dongin60@chol.com
ISBN　978-89-5506-836-8 (93840)
정　가　15,000원

※ 잘못 만들어진 책은 바꾸어 드립니다.